일본
이자카야
유산

동일본편

日本居酒屋遺産　東日本編

일본 이자카야 유산

동일본편

太田和彦
오타 가즈히코

이은주 옮김

mmoc

「일본 이자카야 유산」이란

하루 일을 마치고 동료들과 편하게 대화를 나누며, 오래간만에 친구와 만나 한 잔 술을 하고, 그냥 주인 얼굴을 보러 가서 혼자 기울이는 술. 이자카야 만큼 마음이 편해지는 장소는 없다.

그곳이 몇 대에 걸쳐 이어져 온 가게라면 그 편안함은 더욱 깊어진다. 오래 이어져 왔다는 것은 값싸고 맛있는 안주가 있고, 언제나 변함없이 양심적인 장사를 해왔기 때문이다. 그 편안함을 만드는 것은 창업 때부터 이어져 온 가게 구조나 실내 장식이다.

런던의 펍, 프랑스의 카페, 독일의 호프집, 이탈리아의 바르, 미국의 스낵바. 세계의 도시에는 사람들이 한숨 돌리기 위한 술집이 있다. 일본에서는 그곳이 바로 이자카야다. 이자카야는 마을 사람들의 마음을 안정시키는데 없어서는 안 될 장소가 되었다.

현재 일본 이자카야의 형태는 다이쇼 시대 무렵부터 카운터를 설치하기 시작하면서 정착된 것으로 보인다. 카운터(계산대)라는 말은 영어에서 온 말이기 때문에 역사소설에 「남자는 카운터에 앉았다」라고 쓸 수는 없다. 하지만 에도 시대에 사카야〔술을 판매하는 가게 또는 그 직업을 말한다. 또한 술의 양조를 하는 집〕에서 술을 부어서 팔기 시작한 것이 「이(居)자카야」의 시작이며 그때에도 계산대에서 술을 마셨을지도 모른다. 런던의 펍에서 테이블을 피하고 서서 마신 것이 바 카운터의 시작이라고 한다.

1856년에 태어난 가미야 덴베는 미국으로 건너가 바 카운터를 알게 되었고, 이를 도입하여 메이지 45년(1912) 「미카하야 명주점」(1880년 창업)을 「가미야 바」로 바꾸어 개업했다. 당시 사진에 남아 있는 큰 카운터는 ㄷ자 형태로 구부러져 길게 이어져 있다. 가미야 바는 현재 「유형 등록 문화재」로 지정되어 있다.

한편 오사카에서는 다다미방에서 마시는 것이 식상해진 사람들이 주인이 요리하는 모습을 배식대 너머로 보면서 술을 마시기 시작했고, 이러한 「카운터 갓포」〔'자르다'라는 의미와 '끓이다'라는 의미가 합쳐진 이름. 요리사가 고객의 취향에 맞는 음식을 눈앞에서 조리하여 제공하는 요리〕는 도쿄에도 전파되었다. 이는 도시의 성숙함과 함께 태어난 것으로 밖에서 혼술을 마시는 사람의 자유로움의 표현이다.

가게 주인과 마주보며 마시는 카운터석, 몇 명이 마주보며 앉는 테이블석, 편하게 신발을 벗고 마시는 다다미방, 많은 사람이 모여 연회를 즐길 수 있는 좌식 공간 등, 다양한 손님을 수용할 수 있는 이자카야의 형태가 만들어졌다.

야외 노점이라고 해도 등 뒤로 포렴을 등에 진 채 세상 사람들의 시선을 의식하는 건 길거리에 당당히 테이블을 놓고 마시는 서양의 술집과는 조금 다르다. 「술 마시는 장소」에 민감한 일본인은 전통 가옥을 기본으로 하여 차분히 앉아 마실 수 있는 이자카야의 양식을 만들어 왔다. 도쿄에서는 관동 대지진과 2차 대전을 겪은 오래된 이자카야 건물이 귀중하게 여겨지고 있다. 또한 지방에서는 기후와 풍토가 반영된 이자카야의 모습이 흥미롭다.

손님이 그곳을 찾는 이유는 맛있는 술과 안주가 있어서이기도 하지만, 건물이 주는 편안함의 힘이 크기 때문이다. 이자카야(居心地)의 「이(居)」는 일본어로 편안함(居心地)의 「이(居)」와 같으며 자기 자리(居場所)를 뜻하기도 한다. 오랜 세월을 견뎌온 건물에서 자신의 모습을 발견하고, 자신이 살아온 인생을 긍정할 수 있는 장소이기 때문이다.

문화 유산, 자연 유산, 산업 유산 등 「유산」이란, 현재 그 가치를 보호하지 않으면 사라질 위험이 있는 것을 뜻한다. 오랜 역사를 통해 만들어진 것은 쉽게 재현할 수 없기에 그만큼 가치가 있는 것이다. 나는 「이자카야 유산」을 제안하고자 한다. 그 조건은 다음과 같다.

「창업 시기가 오래되었고 옛 모습 그대로의 건물일 것」
「대대로 변함없이 이자카야를 이어오고 있을 것」
「오래된 노포이면서도 서민들의 가게로 자리하고 있을 것」

「창업 시기가 오래되었다」는 것은 메이지 시대(1868년)에서 쇼와 시대 전쟁(1939년) 이전, 그리고 전후 쇼와 30년대(1950년대 후반)까지 포함하겠다. 「대대로 변함없이」라는 조건은 현재 주인이 3대째 이후 정도로 본다. 「서민들의 가게」라는 것은 이자카야란 원래 그런 곳이기 때문이다.

이 책은 오래된 이자카야를 『일본 이자카야 유산』으로 기록하려는 시도이다. 부담 없이 들어갈 수 있는 가게들만 소개했다. 그곳에서 명물인 안주와 함께 한잔 하면서 꼭 가게 안을 둘러보고 그 가치를 직접 느껴보기를 바란다.

오타 가즈히코

* 일러두기
1. 가게 이름은 책 표지에 있는 영문표기의 띄어쓰기에 따랐다.
예) Daijinhonten(다이진혼텐) / Oden yasube(오뎅 야스베)
2. 역자 주는 〔〕안에 넣었다. 예) 다루자케〔나무통에서 숙성시킨 사케〕

일본 이자카야 유산 동일본편

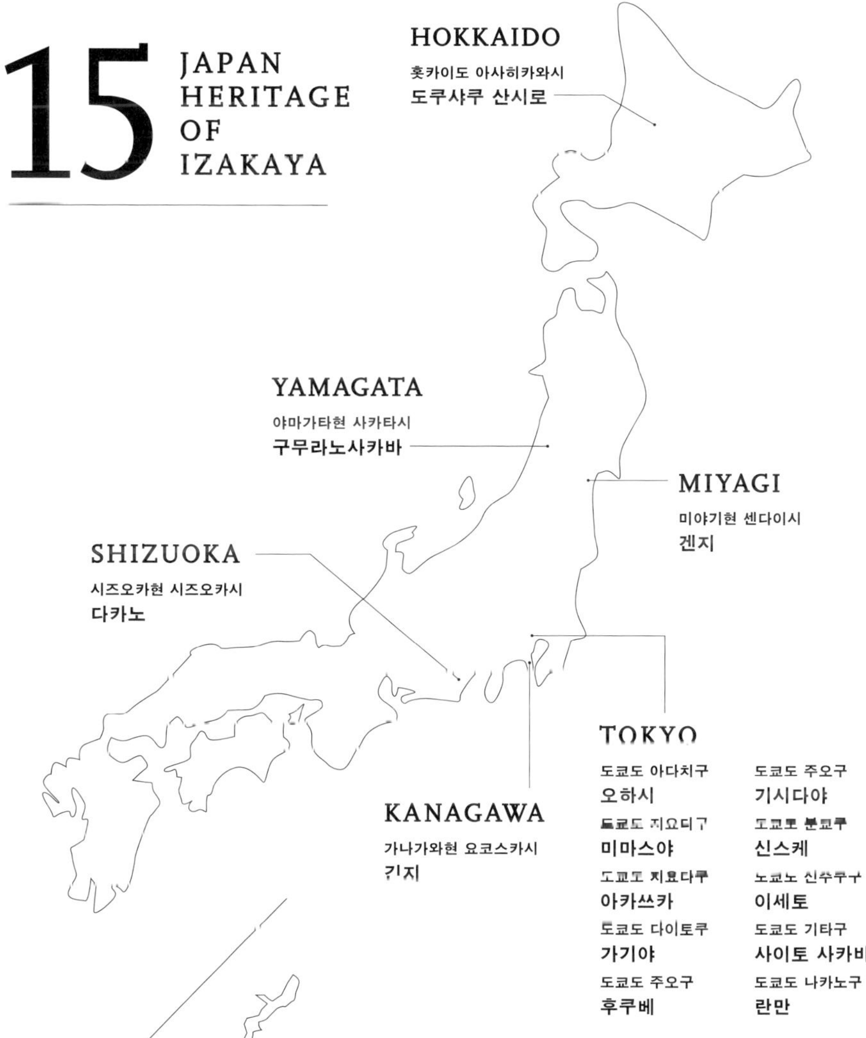

Japan heritage of izakaya. East Japan

일본 이자카야 유산 동일본 편

목차

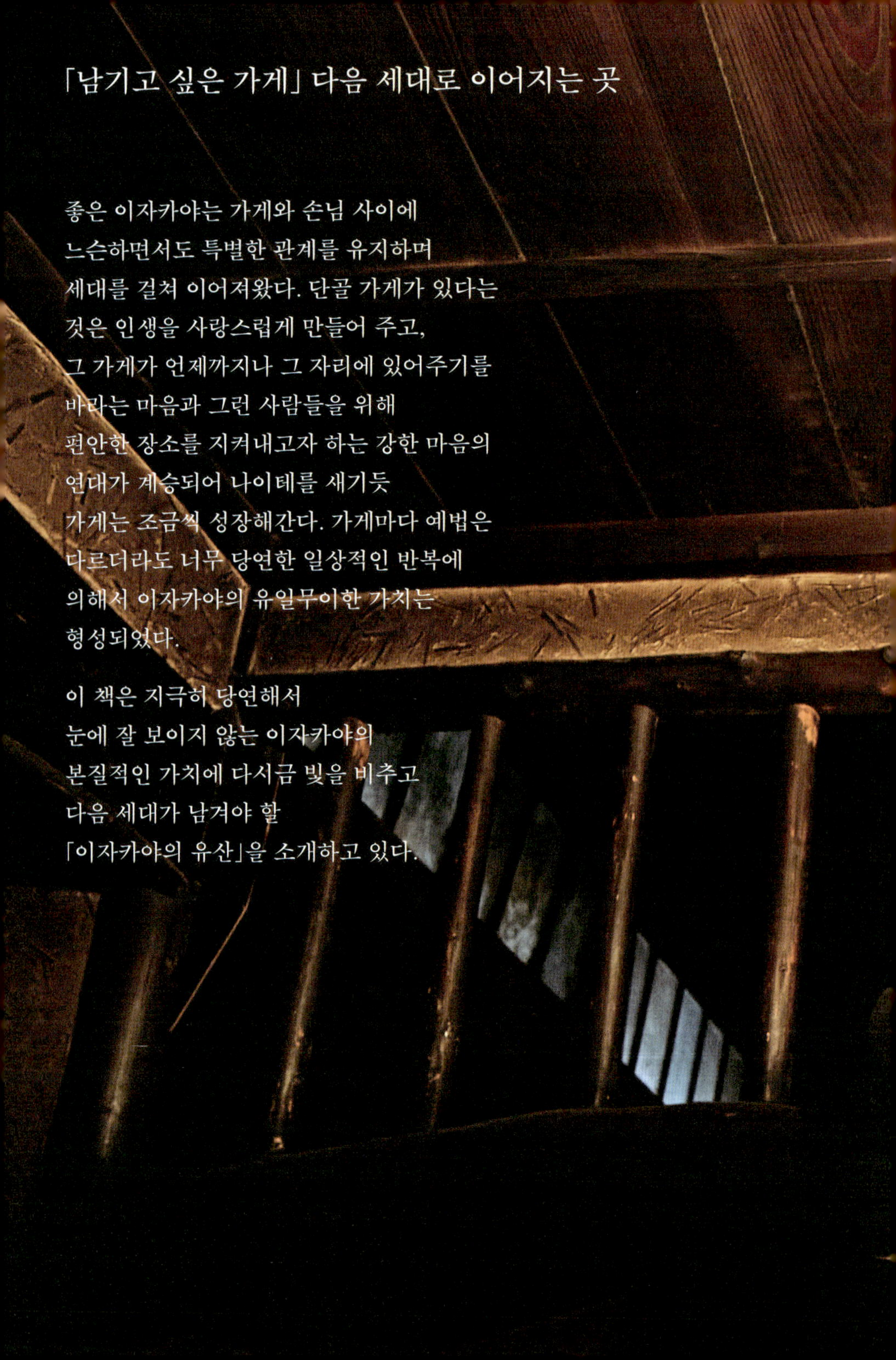

「남기고 싶은 가게」 다음 세대로 이어지는 곳

좋은 이자카야는 가게와 손님 사이에
느슨하면서도 특별한 관계를 유지하며
세대를 걸쳐 이어져왔다. 단골 가게가 있다는
것은 인생을 사랑스럽게 만들어 주고,
그 가게가 언제까지나 그 자리에 있어주기를
바라는 마음과 그런 사람들을 위해
편안한 장소를 지켜내고자 하는 강한 마음의
연대가 계승되어 나이테를 새기듯
가게는 조금씩 성장해간다. 가게마다 예법은
다르더라도 너무 당연한 일상적인 반복에
의해서 이자카야의 유일무이한 가치는
형성되었다.

이 책은 지극히 당연해서
눈에 잘 보이지 않는 이자카야의
본질적인 가치에 다시금 빛을 비추고
다음 세대가 남겨야 할
「이자카야의 유산」을 소개하고 있다.

独酌 三四郎
炉燗酒洞
四季の肴
独酌 三四郎

1

JAPAN
HERITAGE
OF
IZAKAYA

独酌三四郎
도쿠샤쿠 산시로

몸도 마음도 따뜻해지는
북쪽 이자카야

홋카이도 아사히카와시

북쪽 대지의 끝자락.
온기를 찾아 손님들이 향하는 곳은
화로에서 데운 술의 동굴.
부드러운 술과 명물 안주 시코야키는
차가운 몸을 부드럽게 녹여준다.
대대로 내려오는 이자카야의
가게 곳곳에 남아있는 행복하고 즐거운
추억의 흔적들. 북쪽 이자카야에는
따뜻한 환대의 정신이 깃들어 있다.

시내 외곽에서 홀로 야키칸의 순한 맛에 취하다

아사히카와 시내에서 벗어난 한적한 곳에 외로이 한 채의 이자카야가 불을 밝힌다.

밤길에 빛나는 등롱〔사방을 나무 틀로 짜고 종이를 씌워, 빛을 은은하게 퍼뜨리는 조명〕 간판에는 이렇게 적혀있다. 「로칸자케도·사계절 안주·도쿠샤쿠 산시로」. 추운 홋카이도 특유의 작은 현관문을 열고 들어가서 어깨의 눈을 털어낸 뒤 문을 열고 가게 안으로 들어간다.

창업자 니시오카 마나부는 1946년 이 곳을 찾아줄 손님을 바라며 일부러 시내 외곽에 있는 민가에서 카운터 이자카야를 시작했다. 처음 메뉴는 〈곱창구이〉와 〈야키칸〔불에 데운 사케〕〉 뿐이었다. 이 집의 야키칸은 교토 기요미즈에서 발견한 기름병을 본떠 만든 갈색의 야키시메 도쿠리에 술을 담아, 숯불 위에서 직접 데운다. 뚜껑과 손잡이, 주둥이가 달린 이 그릇으로 데우면 술이 순해진다고 한다. 간판의 「로칸자케도(炉燗酒洞)」는 「화로에서 데운 술의 동굴」이라는 뜻이다.

기본 안주는 콩을 물에 불려 삶은 후 식초, 간장, 시소(차조기, 일본 깻잎)에 3시간 정도 절인 〈스다이즈〔식초콩〕〉다. 음식이 귀하던 시절 손님들은 이 스다이즈만으로 술을 마셨다. 술이 네 병째가 되면 주인이 옆에 있는 시치린〔흙으로 만든 풍로〕에서 구운 곱창구이가 서비스로 나왔다. 기다리지 못하고 두 병째에 '아직 안 나오냐'고 묻는 손님에게는 주지 않았다.

가게 이름은 구로사와 아키라 감독 작품 『스가타 산시로』(1943년)에서 주연을 맡은 후지타 스스무와 주인이 닮았다는 이야기에서 유래되었다. 자작을 하며 조용히

창업 후 60여 년 동안 사용해 온 칸빈(燗瓶)〔술을 데우는 용기〕. 나무 코스터.

자신의 페이스로 술을 마실 수 있도록 「도쿠샤쿠(独酌)」라고 이름 붙였고, 주인 자신도 손님 앞에 앉아서 쓸데없는 말을 하지 않았으며 너무 취한 손님은 돌려보냈다. 어느새 그 분위기를 좋아하는 단골들도 생겼다.

아들인 아키라 씨는 12살 때 아버지에게 '네가 가업을 잇거라'는 말을 듣고 가게 일을 돕기 시작했다. 하지만 아버지가 54살에 갑자기 죽었을 때는 아직 17살이었다. 그후 어머니와 함께 가게를 이어갔고, 9년 뒤인 26살에 결혼했다.

며느리가 된 요시코 씨는 당시 스무 살이었다. 아사히카와 초등학교 때부터 술을 좋아해서 혼담이 오고 갔을 때 '술을 마실 수 있겠다'는 이유로 달려오듯 시집왔다며 웃는다. "여기에 올 수 있었던 건 행운이었어요."라고 말하는 키가 크고 미인인 스무

살의 요시코 신부는 일가에게 희망을 주었을 것이다.

내가 처음 이곳을 방문한 것은 약 20여 년 전이다. 한텐〔옷 위에 입는 짧은 겉옷〕을 걸치고 간장회사 앞치마를 두른 숯불에 그을린 얼굴에다 머리에는 두건을 가늘게 두른 아키라 씨가 창업 시절부터 사용해 온 화덕 앞에 놓인 걸상에 앉아 있었다. 그의 얼굴에는 삶의 고단함이 배어 있었고, 손님 접대는 아내인 요시코 씨에게 맡겼다. 아내 요시코 씨가 가게를 밝게 꾸려가고 있었다.

마음이 따뜻해지는 북쪽 선술집의 환대

가게는 안쪽까지 길게 카운터가 이어져 있고, 출입구에서 일단 단절되었다가 다시 카운터가 되는 건 예전에 이곳이 거실이었기 때문일지도 모른다. 앞쪽 카운터에는 매우 튼튼한 벤치 의자에 길고 얇은 방석이 놓여있다. 굵은 나무토막에 방석이 놓여 있어 앉으면 엉덩이가 따뜻하다.

된장, 간장 저장고의 폐자재를 사용한 높은 천장과 손도끼로 깎은 대들보가 가로지르는 견고한 구조는 개척시대를 떠올리게 한다. 카운터 맞은편 낮은 좌식 공간에는 벚꽃 문양의 장식천이 둘러져 있고, 그 안에 다다미 8장이 깔려 있다. 허리 높이까지 둘러진 널판에는 징이 일정한 간격으로 박혀 있어 공간에 세련된 분위기를 더한다.

카운터 안쪽 우측에는 창업 때부터 사용하여 모서리가 닳기 시작한 삿포로 연석을 파서 만든 화덕이 있는데 압권이다. 검게 그을린 구석에 붙어 있는 「화재 주의」라는 종이만 희미하게 빛난다. 그 안에 숯불

가게에 들어가면 우측에는 창업 때부터 있던 카운터가 있다. 좌측은 다다미가 깔린 좌석.

가게 문을 열기 1시간 전부터 아궁이에 불을 지펴 따뜻하게 데우기 시작한다.
오른쪽은 요리를 굽는 아궁이, 왼쪽은 술병을 데우는 아궁이다.

을 새빨갛게 피우고 커다란 철망 위에서 명물인 닭고기와 곱창을 굽는다. 왼편의 또 다른 돌화덕에서는, 숯불을 피워 놓은 채 여러 개의 둥근 구멍이 뚫린 구리 덮개가 얹혀 있다. 그 구멍에 칸빈을 넣어 직접 열로 온도를 올린 뒤, 같은 덮개의 위쪽 테두리에 꽂아 두어 온기를 유지한다. 손님이 오면 곧바로 내놓을 수 있다.

옛날 홋카이도 이자카야를 다닐 때 느꼈던 것은 항상 불이 있어 안심이 되었다는 점이었다. 이곳에는 로바타야키가 유독 많은데, 커다란 이로리를 중심으로 사람들이 둘러앉아 숯불에서 생선이나 아스파라거스가 익어가는 모습을 함께 지켜본다.

술은 숯불 옆에 있는 큰 주전자에 항상 데워져 있고 술잔에 따라 준다.

찬 기운을 털고 들어와 도쿠리에 술이 데워지기를 기다리지 않고 장갑을 벗자마자 한잔 쭈욱 들이키면 마음이 느긋해진다. 차가운 회도 없고, 생선이나 야채 또한 모두 굽는 것이 기본이다. 추운 홋카이도에서는 '따스함'이 최대의 환대로 그것은 개척기 이로리 중심의 판잣집에 대한 기억에 의한 것임을 알게 되었다. 이 가게 또한 화로가 주인공인 진정한 「화로에서 데운 술의 동굴」이다.

안쪽에는 「다치나미베야 오시마 오야카타 후원회 사무소」라는 훌륭한 간판이 걸려 있다. 창업자인 마나부 씨는 스모를 좋아해서 해마다 한 번 열리는 오즈모〔스모의 공식 명칭〕 홋카이도 순회 공연 때에는 가게를 내버려두고 경기장 설치, 티켓 판매, 경비, 식사와 숙박 준비 등으로 바삐 움직였다. 가게를 통째로 빌려 전례 없는 진수성찬을 준비하고 마음껏 마시게 했다. 스모계의 감사 인사는 '잘 먹었습니다' 한 마디뿐이었지만 항상 유카타 원단 한 필을 두고 갔다.

홋카이도는 오즈모의 유망한 스모 선수를 배출한 지역이다. 유망한 젊은 선수를 소개하는 연결 역할을 하였고, 가미카와 군 아이베쓰초에 있던 소년은 생일이 같다는 이유로 특별히 신경을 써서 1962년에 데리고 상경했다. 오야카타〔스모를 가르치는 선생님〕로부터 「세 명의 주요 스모 선수」까지 확실하다는 말을 듣고 기뻐했지만, 그해 마나부 씨는 54살의 나이로 갑작스럽게 세상을 떠났다.

마나부 씨는 도쿄 5월 대회에는 반드시 50만 엔을 준비해 스모부에 전했다. 아내인 요시미 씨가 생활비를 100엔으로 절약하고 있을 때였다. 그해에는 50만 엔을 준비할 수 없어서 "그럼 가지 않겠다."고 했으나 겨우 마련해서 보냈다. 그해 가을 갑작스럽게 세상을 떠나자 요시미 씨는 "그때 보내서 다행이었다."고 말했다.

가미카와에서 데리고 온 소년은 「아사히쿠니」라는 스모 이름으로 오제키〔스모에서 천하장사 버금가는 지위〕까지 출세했다. 그해 홋카이도 순회 공연에서는 이곳 2층에서 승진 축하 연회를 열었고, 아사히쿠니는 마나부 씨의 위패에 향을 올리며 합장했다. 요시미 씨는 감격에 젖어 있었다고 한다.

요시미 씨는 전직 게이샤로 평판이 자자한 미인이었으며, 앨범에 남아 있는 사진은 기품 있고 아름다웠다. 요시코 씨가 시집갈 때 친정어머니가 "딸은 아직 스무 살이라 아무것도 시켜본 적이 없다."고 하자 요시미 씨는 "우리 집에서 다 가르치겠습니다."라며 자신이 「이케노보파의 꽃꽂이 교수」였던 경험을 살려 꽃꽂이부터 시작해 어린 며느리에게 여러 가지를 가르쳤다.

"시어머니는 고생하셨을 거예요. 하지만 전 고생한 적은 없어요."라고 담담히 말하는 요시코 씨는 집안의 희망이었을 것이다. 아들 아키라 씨가 세상을 떠나고 며느리인 요시코 씨가 중심이 되어야 할 때 시어머니는 「곱창구이와 데운 술을 소중히 여기며, 손으로 직접 만져가며 익힐 것」, 「스스로 부정적인 말(소문이나 분위기가 어

갓포기〔소매가 있는 일본 전통 앞치마〕는 네모진 목덜미가 일반적인데 요시코 씨는 기모노에 맞추기 위해 브이넥 디자인을 특별히 주문해서 입는다.

두워질 것 같은 내용)은 하지 말 것」을 가르쳤다.

이곳을 애정하여 찾은 「야나기 하이쿠회」의 작사가 에이 로쿠스케와 배우 오자와 쇼이치 등에게 둘러싸인 여주인.

선대 주인 사진 옆에 라쿠고의 명인 야나기야 고산지 사진도 놓여있다.

창업 때부터 변하지 않은 사랑받는 가게의 풍경

몇 년 만에 가게를 찾은 난 4년 전에 71살로 세상을 떠난 2대째 주인 아키라 씨의 영정에 먼저 손을 모았다.

옆에는 얼마 전 세상을 떠난 야나기야 고산지의 사진도 있었다. 고산지 스승과는 오랜 인연으로 요시코 씨는 함께 스키를 타러 가거나 여름에는 피로를 풀기 위해 일주일 정도 머물며 매일 함께 지냈다고 한다. "제가 더 많이 마셨어요."라고 웃는 요시코 씨의 이야기가 인상적이었다. 스승이 시낭독 모임 「야나기 하이쿠회」를 데리고 왔을 때의 기념사진에는 오자와 쇼이치, 에이 로쿠스케 등과 함께 요시코 씨가 중앙에 자리하고 있다. 이때 경마를 좋아했던 오자와 씨는 당시 존재하던 아사히카와 경마장에 일행을 데리고 가서 "모두가 이겨서 아사히카와에 대한 인상이 좋아졌다."고 말했다고 한다.

에이 씨는 이후 혼자서도 자주 찾아왔지만 술을 잘 못 마시는 체질이었고, 연거푸 술을 들이키는 요시코 씨에게 "정말 잘 마시네요."라고 중얼거렸다고 한다. 기모노에 하얀 가게 앞치마를 입고 날씬하고 키가 큰 그녀는 전쟁 전의 미녀 배우를 떠올리게 했고, 화통하고 애주가인 그녀의 모습을 모두가 좋아했다.

무엇이든 적극적인 성격인 요시코 씨는 어느 날 문득 집안의 뿌리를 조사해 보기로 결심했다.

홋카이도 사람들은 대개 개척하러 온 조상의 고향을 알고 싶어 한다. 요시코 씨가 조사한 결과 니시오카 가문은 1909년에 니시오카 사키타로가 도쿠시마현 미요군에서 오비히로로 이주해 왔고, 사키타로는 78살에 세상을 떠났다. 그의 아들 시게루는 24살의 젊은 나이에 요절했고, 그 아들이 바로 이 가게를 시작한 마나부였다. 그리고 마나부의 아들이 요시코 씨의 남편인 아키라이고, 홋카이도에서 4대째를 잇게 되었다. 대략적인 가계도는 밝혀졌지만, 요시코 씨는 더 자세히 알아보기 위해 오비히로까지 가서 옛 기록을 조사했다. 그 결과 1842년까지 뿌리를 거슬러 올라갈 수 있었다.

"조사해보니 도쿠시마에 있던 선조는 도박장을 운영하던 도박사였더라고요." 숨죽이며 듣고 있던 나는 "와!" 하고 놀라며 요시코 씨와 함께 웃었다. 벽에 걸린 창업 60주년 기념 액자에는 「술의 맛은 사람의 맛」이라고 적혀있었다. 낡고 빛바랜 한 장의 종이에는 「수오훈(水五訓)〔물이 주는 5가지 가르침〕 스스로 움직여 다른 것을 움직이게 한다. 운운」이라는 글귀가 있는데, 초대 주인이 걸었던 것으로 보인다. 오늘 처음으로 올라가 본 2층은 배의 천장 구조를 닮은 훌륭한 다다미방이었다. 두 방을 나누는 흰색 미닫이문 4장에 검은 먹으로 호랑이 한 마리가 대담하게 그려져 있었다. 반대편에는 홋카이도 출신의 그림책 화가인 아베 히로시가 그린 고릴라가 있었다. 이 두 방을 합친 16장 크기의 다다미방에서 홋카이도를 찾은 스모 선수들이 술을 마시던 것을 상상하니 짜릿한 기분이 들었다. 튼튼한 집 바닥은 그런 무게에도 끄떡없었다.

한 바퀴 둘러본 뒤, 나는 카운터에 자리를 잡았다. 데운 술 한 잔은 적당한 온도

추천 고바치 요리〔작은 접시에 담긴 술안주〕가 놓여있는 〈여주인의 제철 쟁반〉. 젓가락 봉투에 적힌 붓글씨 말은 각기 다르다. 사진의 글은 〈매일 감사〉.

였다. 술은 한번 뜨겁게 덥힌 후 천천히 식히면 맛이 더 좋아진다. 차분히 앉아 술을 즐기는 북쪽 술집에 딱 어울리는 맛이었다.

창업자 선대가 시작한 젓가락 봉투에 쓴 「눈」「좋은 날」「청풍」 등 무언가 붓글씨를 매일 쓰는 전통은 지금도 이어지고 있다. 오래된 것들은 액자에 넣어 2층 다다미방에 장식되어 있었다. 창업 이후 70년 동안 변하지 않은 안주 「스다이스」는 맛의 깊이가 있다.

초겨울인 지금은 한겨울을 나기 위해 소중한, 폭 1미터에 이르는 대형 양배추, 손도끼로 자른 무, 말린 청어(미키키니싱)를 누룩에 절인 「니싱 쓰케(청어 절임)」가 제철이다. 요시코 씨는 10월에 들어서면 이것을 준비하기 위해 '몸이 근질거린다'고 한다. "초등학교 6학년 때 아버지와 함께 왔던 사람이 혼자서 찾아와요." "사람을 좋아

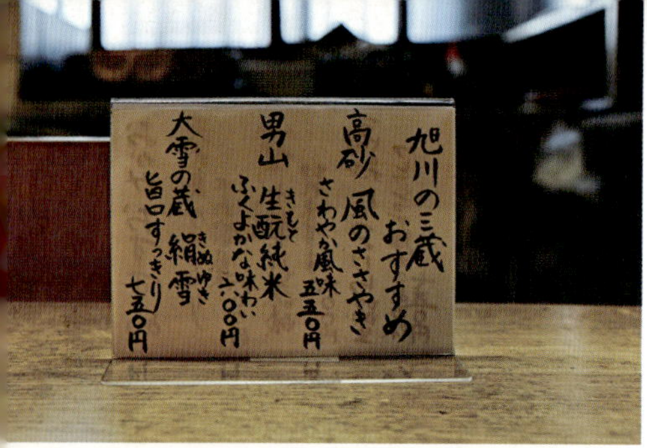

여주인이 엄선한 지역 술과 간판 메뉴인 어린 닭을 구운 〈신코야키〉.

하지 않으면 할 수 없는 장사입니다." "여기에 사람이 들어오면 멋진 풍경이 된답니다." "천장이 높아서 소리가 울리지 않는 설계에요." 요시코 씨의 말에서 이 장소를 얼마나 사랑하고 있는지가 절실히 느껴진다. 액자에 들어 있는 「인증. 니시오카 요시코 님. 귀하는 니혼슈 서비스 연구회 소믈리에 연구회... 니혼슈학 강사임을 증명합니다.」 같은 다소 이해하기 어려운 상장은 어쨌든 이 사람에게 뭔가 해주고 싶은 마음에서 나온 결과일 것이다.

3년 전에 남편 아키라 씨가 세상을 떠난 후 가게는 히타치 연구소에서 근무하던 사위인 사토시 씨가 이어받게 되었다. 사토시 씨는 아사히카와로 이사해 가게를 물려받았고, 요시코 씨는 일을 계속하면서도 옆 아파트에서 혼자 생활하기 시작했다. 사토시 씨는 "저는 아무런 수업을 받은 적이 없지만, 자주 가게를 도와주던 막내딸에게 할아버지가 이렇게 하셨다고 배웠고, 오래된 사진에서 굽는 방법이나 불 조절, 숯 놓는 방법 등을 연구했다."며 연구직 출신다운 모습으로 말했다. 지금은 한텐으로 갈아입고 왼손을 허리에 대고 숯불을 다루는 뒷모습에서 마지막 직업에 임한 각오가 엿보여 든든하다.

장식되어 있는 요코즈나(천하장사) 기타노후지의 날카로운 눈빛이 인상적인 흑백 씨름장 사진에는 「산시로 씨에게 기타노후지」라고 사인이 적혀 있다. 요코즈나는 아사히카와 출신이다. 요시코 씨는 그가 이곳에서 고산지 스승과 함께 즐겁게 술을 마시던 모습을 보는게 기뻤다고 말했다.

문인 기질이 다분하고, 마음에 들면 끝까지 헌신했던 창업 선대. 젊은 나이에 가게를 물려받아 어머니와 함께 고생했던 2대째. 그리고 산들바람처럼 찾아와 가게를 되살린 아름다운 아내. 그리고 이제 3대째가 그 자리에 서있다.

북쪽의 대지에서 이어진 명문 이자카야는 창업 당시의 건물과 함께 여전히 건재하다.

딸 부부가 가게를 물려받은 후에도 변함없는 미소로 가게를 지키고 있는 여주인 요시코 씨.

OUTLINE
점포개요

FOUNDED | 창업

1946년 니시오카 마나부 씨가 창업. 「도쿠샤쿠 산시로」 가게 이름 유래는 구로사와 아키라 감독 작품 『스가타 산시로』에 출연한 배우 후지타 스스무와 마나부 씨가 닮았다는 이야기에서 유래되었다. 「도쿠샤쿠」에는 조용히 술을 마시자는 선대의 마음이 담겨있다.

HISTORY | 역사

현재는 2대째가 이어오고 있으며 니시오카 아키라 씨와 니시오카 요시코 씨의 사위 아오이케 사토시 씨가 3대째로서 실력을 발휘하고 있다. 2017년에 아키라 씨가 사망한 것을 계기로 가족끼리 의논해 대기업 전자 회사를 퇴직하고 아사히카와로 왔다. 단골들에게 배우면서 전통을 이어오고 있다.

사진(상)은 개점 무렵의 니시오카 마나부 씨. 우측 아래는 마나부 씨와 요시미 씨 부부. 좌측 아래는 여주인인 요시코 씨가 20살에 시집왔을 때.

CUSTOMER | 고객층

젊은이들의 방문도 서서히 증가하기 시작했고, 때로는 가족 동반으로도 방문한다. 성년이 되어 '어렸을 때 아빠랑 왔어요'라며 내점하는 손님도 있다. 목소리도 음성이 커지면 조용히 말하도록 하고 다른 가게에서 술을 마시고 취한 상태로 오는 건 금지한다. 주인이 손님에게 말을 거는 일도 극히 드물다.

FILE

창업	쇼와 21(1946)년
지역	홋카이도 아사히카와시
창업 시 형태	이자카야
구조	목조 2층 건물
점주	아오이케 사토시(3대째)

❶ 천장
높은 천장은 굵은 목재가 지탱하고 있어 상당히 튼튼한 구조다. 된장, 간장 저장고의 폐자재를 이용하고 있어서 소리가 잘 울리지 않도록 설계되어 있다.

❷ 고아가리 다다미방
(바닥보다 조금 더 높게 만든 방)
8장의 다다미 가장자리에는 벚꽃 문양이 그려져 있다. 허리 높이까지 덧댄 패널은 규칙적으로 징이 박혀있고 분위기를 세련되게 연출하고 있다.

❹ 연석 화덕
창업 이래 가게를 지켜온 연석. 화덕에는 '화재주의'라는 종이가 붙어있다.

❸ 긴 의자
점내에 들어가자마자 있는 카운터는 창업 당시 있는 그대로며 벤치 의자가 2개 놓여있다. 의자에는 창업 70주년 때 받은 가게 이름이 들어간 방석이 깔려있다.

튼튼한 천장。 2층의 넓은 다다미방

가게의 높은 천장을 지탱하는 것은 된장, 간장 저장고의 폐자재이다. 굵은 대들보가 가로놓여 중량감이 있다.

2층에는 다다미방 두 개. 미닫이문에는 홋카이도 출신의 그림책 화가 아베 히로시 씨의 그림이 대담하게 그려져 있다.

홋카이도 중심 마을 문화

왼쪽 위 신단에는 센다이 시로의 그림이 있고, 그 아래에는 야니기야 코산지 스승의 글귀가 붙어 있다. 이곳에 있는 다양한 메모를 읽거나 여주인과 대화하기 위해 홋카이도까지 온다. 가장 좋아하는 자리.

2대째인 남편 아키라 씨가 시작한 젓가락 봉투에 쓴 여러 가지 손글씨. 아키라 씨가 세상을 뜬 지금은 딸 이즈미 씨가 계승하고 있다.

계절 추천 요리는 얇은 나무판에 하나씩 정성들여 붓으로 적혀있다.

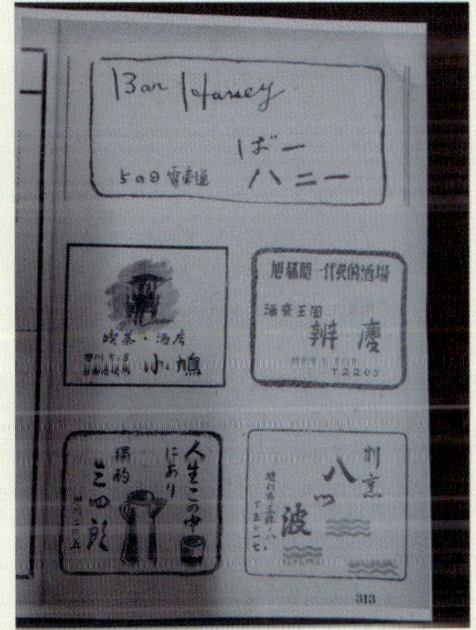

아사히카와의 오래된 마을 소식지에 실린 광고. 「인생이 이 안에 있다. 도쿠샤쿠 산시로」가 좋다. 다른 가게의 광고도 그립고, 지방에서 즐기던 생활 문화권이 있었던 것도 그립게 한다.

DATA **도쿠샤쿠 산시로**	홋카이도 아사히카와시 2-5-7 / 0166-22-6751 / 17:00~22:00(LO. 21:30) 일·월 공휴일 정기 휴일

久村の酒場
初孫
久村の酒場
日本酒
菊勇
いつでも おいしい手 造りの味処
久村の酒場
居酒屋
酒
酒
初孫
初孫

2 JAPAN HERITAGE OF IZAKAYA

久村の酒場
구무라노 사카바

유서 깊은 명가의 포용력

야마가타현 사카타시

무역으로 번영했던 사카타 항.
술의 거대한 소비지에서 창업한
노포 주점은 명가로서의 품격을
즐기면서도 결코 잘난 체하거나
거만하지 않다. 카운터 너머로
안주를 바라보며 언제까지나
식지 않는 술을 천천히 음미한다.
가족 같은 따뜻한 분위기가
감돌고 곳곳에서 대화의 꽃이 핀다.

유리로 된 ㄷ자 카운터. 벽에는 요리나 술의 메뉴 외에 방문한 유명인의 사인이 죽 늘어서 있다.

에도 시대부터 이어져 온 노포 주점의 격식 없는 포용력

1672년 가와무라 즈이켄〔일본의 사업가〕의 항로 개척 덕분에 사카타는 천하의 부엌이라 불린 오사카와 연결되었다. 이로 인해 사카타는 에조지역〔홋카이도의 옛이름〕 다시마, 소금, 해산물 등 각종 물자의 집산지로 번영했고, 부유한 상인인 혼마 가문의 주도로 선박 휴식처에 꽃피운 유흥가와 요정들이 번창하며 해상 운송선 도매상의 대형 상점들이 번성하였다.

「구무라노 사카바」는 1867년에 창업하여 술의 대규모 소비지에서 대대로 이어져 왔다. 5대째까지는 모두 초대 구무라 초스케의 이름을 이어받았지만, 현재 6대째부터는 본명인 준이치로 바뀌었다.

1961년에는 입석으로 술을 팔기 시작했고, 이후 본격적으로 주택에서 「구무라노 사카바」로 개장해 영업하기 시작했다. 1894년 쇼나이 지역 대화재로 건물이 전소했지만 재건을 거듭하며 주점 역시 60년의 역사를 이어가고 있다.

구무라의 주점은 거리에 접한 모퉁이에 자리하고 있으며 큰 용마루의 오니가와라〔귀신이나 무시무시한 짐승을 표시한 기와나 조각〕에는 금색으로 가문의 문장이 새겨져 있다. 이 가문은 동그라미 안에「구(久)」아래에「무라(村)」를 생략한 듯이 작은 동그라미 점을 넣고, 전체를 굵은 원으로 감싸 파도 위에 올려놓아 사카타 항의 번영과 기상을 상징하고 있다. 오른쪽 끝이 마도「구무라노 사카바」다.

에도 시대부터 이어져 온 노포 술집에서 술을 마신다고 하면 상당한 격식을 기대하게 마련이지만, 외관은 친근한 느낌을 준다. 사카타의 명소인 히요리야마의 옛 등대와 산쿄 창고〔1893년에 건립된 쌀 저장고〕의 일러스트를 큼직하게 붙여놓았고, 그 위에「구무라노 사카바」「세이슈 하츠마고(清酒 初孫)」라고 적힌 등롱 간판이 줄지어 있어 친근한 분위기를 자아낸다. 이렇다 보니 소문을 듣고 찾아온 사람들도 미소를 짓게 된다.

저녁이 되면 〈이자카야〉의 붉은 등이 켜지고 〈언제나 맛있는 수제 안주의 맛집, 구무라노 사카바〉라고 적힌 파란 포렴이 나오면 개점 신호다. 북쪽 나라 특유의 이중문을 열면 좁고 세로로 긴 봉당이 나오는데 그곳에는 붉은 색 찬합을 ㄷ자로 놓은 것 같은 카운터가 놓여 있다. 카운터의 상판은 투명 유리로 되어 있어 아래에 놓인 작은 접시의 안주들이 비쳐 보인다. ㄷ자형 카운터의 안쪽 간격은 좁아 전체가 하나의 테이블처럼 보이며, 붉고 검은 옻칠이 화려하게 빛난다. 젓가락, 이쑤시개, 간장 등이 일정한 간격으로 깔끔하게 놓여 있고 간단한 둥근 나무 의자가 주변을 둘러싸고 있다. 이처럼 편안하면서도 세련된 세팅에 얼굴이 환해지지 않을 사람은 없을 것이다.

벽에는 다양한 전단지가 빼곡히 붙어 있고, 사카야답게 술에 대한 설명이 일일이 사진이 첨부된 정종 병과 함께 자세히 소개되어 있다.

〈특별 창고 출하 한정「조키겐」준마이 다이긴조 아이야마·부드러운 입맛에 차분한 감칠맛, 진품 술〉〈한정「우젠 시라우메」이기이가리「다와라 유키」한여름을 넘긴 깊은 맛을 즐겨보세요〉〈한정(홋카이도 지역) 하쓰마고·고게쓰, 부드러운 향기와 깊이 있는 맛〉등의 설명이 눈길을 끈다.

〈화제의 맛, 수제 고등어 초절임〔시메 사바〕〉, 〈참마 명란 치즈구이〉, 〈오늘 밤

다다미방 복도 정면. 가문의 문장이 들어간 오카모치 위에는 스탠드 조명이 있어서 꽃이 아름다워 보인다.

은 니기스노 스리미지루〔샛목과의 다진 생선으로 만든 국〕〉라고 요리도 안내되어 있으며, 〈아 먹고 싶다. 수제 오징어 젓갈〉은 사진으로도 소개되어 있다. 유명인들이 남긴 사인(나의 것도 있다)과 사진도 전혀 격식을 차리지 않는 분위기다.

ㄷ자형 카운터 입구에 선 여주인은 옆에 놓인 대형 석유 난로를 둘러싼 받침대에 물을 채운 커다란 솥을 올려놓고, 그 안에는 나무 뚜껑이 고에몬부로〔부뚜막 위에 직접 거는 철제 목욕통으로 나무 뚜껑을 밟고 가라앉히면서 들어감〕처럼 가라앉아 있으며, 마개를 딴 한 되 병이 어깨까지 물에 담겨 있다. 데운 술 중에서 가장 맛있는 것은 이렇게 병째 데운 술이다. 마치 미지근한 목욕물에 오래 담겨 있으면 식지 않는 것처럼 이 술도 오래도록 식지 않는다.

이곳이 카운터의 최고 자리임을 알게 된 것은 나중 일이다. 처음 방문했을 때는 아무 생각 없이 그 자리에 앉았는데 어느 날 한 손님이 이렇게 말했다. "카운터에 앉기까지 3년, 여주인과 말을 섞기까지 6년, 벽을 등지고 난로 옆에 앉기까지 10년. 나는 이제 겨우 6년차야."라고 말해서 몹시 민망했던 기억이 있다. 입구의 맞은편에 있는 가장 끝자리, 마치 말석처럼 보이는 곳은 가장 오래된 단골인 스도 선생의 지정석이었다.

스도 선생은 사카타 대화재로 집이 전소된 제자에게 자신의 보너스를 건넬 정도로 훌륭한 인품의 소유자였으며 사카타 명예시민이기도 했다. 그날도 선생은 그 자리에 있었고, 나는 고개를 숙여 인사했다. 작년에 여든을 넘긴 선생은 60년간 이곳에 다녔지만, 이날이 마지막이라며 찾았고 요양원에 들어가셨다고 한다.

이 이야기를 들려준 사람은 사카타 제2중학교 시절 스도 선생에게 영어를 배웠다는 사나다 씨였다. 스도 선생은 언제나 조용히 미소를 지으며 매일 두 잔의 술과 한 가지 안주를 주문했다고 한다. 버스를 타고 와서 택시를 타고 돌아갔다고 한다. 사나다 씨는 이 주점의 단골들과 함께 「○○구무라회」라는 팬클럽을 만들어 티셔츠와 포스터를 자발적으로 제작할 정도로 이 가게를 깊이 사랑하고 있다.

우선 앉아야 할 곳은 「마쓰노 로카」 사카타 항의 문화를 느끼다

'카운터에 앉기까지 3년'이라면 그 전에는 어디에서 술을 마실까? 카운터가 찼을 때 손님들은 자연스럽게 안쪽에서 술을 마시게 되었다. 이곳은 바닥이 잉어가 헤엄치는 연못으로 되어 있었지만, 나중에 폭을 넓히고 다다미를 깔며 작은 탁자를 놓아 자연스럽게 「마쓰노 로카」라 불리게 되었다. 먼저 여기에서 마시기 시작해 카운터의 단골로 발전하는 과정이라고 할 수 있겠다.

마쓰노 로카의 끝에는 가문의 문장이 새겨진 고급스러운 오카모치〔요리나 식품을 넣어 옮기는 상자〕와 소형 서랍장이 줄지어 놓여 있다. 또한 구무라 주점 이름이 새겨진 큰 도쿠리와 야생화가 장식되어 있어 이곳이 단순한 주점이 아니라는 품격을 보여준다. 그 옆으로 들어간 넓은 안쪽 다다미방은 평범한 주점의 분위기와 완전히 다르다. 천장 높이는 일반적인 방의 두 배 정도로 높고 흰 벽의 나게시〔일본식 집 안에 있는 수평 목재 조각〕에는 반달 모양의 란마〔문 위의 통풍을 위한 창〕가 나 있으며, 창살이 있는 전통적인 미닫이문이 세워져 있다. 옻칠된 기둥에는 기러기 모양의 못 덮개가 장식되어 있고, 도코노마〔방에서 어떤 공간을 마련해 인형이나 꽃꽂이로 장식하고, 붓글씨를 걸어 놓는 곳을 말한다〕에는 소의 등에 타 소나기를 견뎌내는 동자의 수묵화가 걸려 있는데 이것은 한눈에 명품임을 알 수 있다. 〈화하룡사주(華下龍蛇走)〉라고 적힌 액자의 글씨도 일품이다. 반달 모양의 벽 위로 마련된 신단(神棚)에는 오늘도 정갈한 흰 종이 장식과 푸른 사카키가 올려져, 이 중후한 좌식을 매일 지키고 있는 듯한 분위기를 낸다.

옆의 5평 남짓한 방은 완전히 분위기가 바뀌어 스키야〔다실풍 건축 양식〕 스타일로 밝은 느낌을 준다. 방석으로 둘러쌓인 넓은 좌식 상에는 6명의 젓가락과 앞접시가 준비되어 있어 저녁 손님을 맞을 준비가 되어 있다. 선반에 놓인 붉은 옻칠 쟁반의

이곳이 「마쓰노 로카(‘소나무 복도’라는 뜻. 원래 연못이 있던 공간을 넓혀 만든 좌식 구역으로, 카운터 단골이 되기 전 머무르던 입문 자리라는 의미로 불렸다.)」로 좌측은 다다미방으로 넓혔다. 유리문 너머는 복도 끝까지 연못으로 잉어가 유유히 헤엄친다. 2, 3명이서 천천히 마시기에는 최고.

여주인 도시에 씨와는 절친이다. 이곳이 카운터 특등석인 줄은 몰랐다.

작은 관음상, 그 옆의 푸른 항아리 그리고 환대하듯 놓여 있는 꽃다발에서 주인의 미의식이 엿보인다.

가게 외부와 평범한 주점 내부는 격식을 차리지 않는 분위기지만 마쓰노 로카에서 안쪽으로 갈수록 사카타 항의 번영으로부터 태어난 세련된 문화를 직접 체험하게 된다.

주인이 이어가는 손님과의 신뢰 관계

다시 온 카운터는 오늘도 손님들로 가득 찼다. 그곳에 서 있는 6대째 주인의 아내, 구무라 도시에 씨는 항상 밝고 시원시원한 성격으로 손님들의 두터운 신뢰를 받고 있다는 게 느껴진다.

도시에 씨의 시어머니는 일본의 전통 상가에서 흔히 볼 수 있는, 데릴사위를 맞아 가업을 잇는 '이에무스메(居娘)'로, 태어나서 노년에 이르기까지 한 번도 이 집을 떠난 적이 없었다. 오래된 술집 구무라 집안의 아가씨로서, 가게의 정신과 질서를 몸으로 지켜온 존재였기에 주변으로부터 각별한 존경을 받아왔다. 가게 안에 붙어 있는 안내문은 모두 시어머니의 유려한 필체로 쓰여 있었지만, 입원하게 되면서 더 이상 볼 수 없게 되었다. 입원 직전에는 가족이 환송회를 열었고, 일주일 후 98세의 나이로 세상을 떠났다. 그로부터 1년 후 남편도 세상을 떠났다고 한다.

술은 「루리이로노 우미(瑠璃色の海)」를 마셔야겠다. 이 우아하고 세련된 분위기의 명주는 바로 이곳에서 처음 알게 되었다. 메뉴판에 〈단골 추천〉이라 적힌 〈아게게소 세트〔오징어 다리 튀김〕〉는 이제 막 튀겨낸 두꺼운 두부에 잘게 썬 파가 올라가 있고, 갓 튀긴 오징어 다리와 지느러미까지 곁들여져 있어 아주 푸짐하다.

가게 분위기는 대단히 가족적이다. 낯선 손님이 와도 단골들이 먼저 다가와 "어디서 왔어요?"라고 스스럼없이 말을 걸어준다. 나 역시 처음 갔을 때 그렇게 말을 걸어왔다. 처음 말을 건 사람이 바로 신문사 지국에서 근무하는 기자였는데 그는 나를 데리고 사카타의 마지막 대형 카바레인 「하얀 장미」에 술을 마시러 간 적도 있다. 난로 옆 기둥에 묶여 있는 커다란 〈자선함〉 아래에는 다음과 같이 적혀 있다. 〈1엔으로 사랑의 손길을! 자선함에 성금을 넣어 주셔서 감사합니다. 1965년부터 2008년까지 총 345,001엔이 모였습니다. 하마나스 학원, 아스나로 제작소, 사회복지사무소에 기부했습니다.〉

도시에 씨는 손님이 팁이나 찻값을 건네려 해도 절대 받지 않는다고 한다. 그렇게 스스럼없이 손님을 대하면서도 명가의 긍지를 잃지 않는 태도가 이곳을 찾는 손님들의 마음을 묶어주고 있는 것이다.

一酔多福
金印
初孫

❶ **지붕**
큰 용마루 오니가와라의 지붕은 묵직한 인상을 주어 가게의 위엄과 역사를 느끼게 한다. 용마루에는 '구(久)'자가 당당하게 자리잡고 있다.

❷ **벽면**
야마가타현 사카타시의 명소, 히요리야마의 옛 등대와 산쿄 창고의 일러스트가 그려져 있다.

❸ **등롱**
벽면에는 큰 일러스트와 등롱과 붉은 제등이 죽 늘어서 있다. 등롱에는 「구무라노 사카바」, 「세이슈 하츠마고」라고 적혀 있으며 소박한 외관이 대중 주점 느낌을 자아낸다.

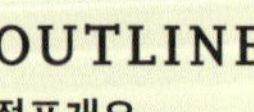

OUTLINE 점포개요

FOUNDED | 창업

1867년에 창업한 구무라 술집이 기원. 구무라노 사카바로 시작하게 된 것은 쇼와 30년(1955)대지만 정확한 연도는 알 수 없다. 처음에는 서서 마시는 술집이었다고 한다. 1894년에 쇼나이 대화재로 건물이 전소되었다. 몇 차례의 재건축을 반복해 현재의 건물이 되었다.

HISTORY | 역사

6대째인 구무라 준이치 씨부터 본명을 쓰고 있지만, 1대부터 5대까지의 주인은 개명을 하여 구무라 초스케라는 이름을 사용했다. 현재 여주인인 도시에 씨의 5대째 할아버지가 돌아가시면서 이 관습은 끊어졌다. 창업 당시에는 인근 공장에서 일하는 노동자들이 많이 들렀다고 한다. 6대째인 구무라 준이치 씨가 사망하고, 현재는 부인인 도시에 씨가 꾸려가고 있다.

CUSTOMER | 고객층

지역 주민들이 많이 모였을 당시와는 고객층이 달라져 남녀노소 누구나 찾는 가게가 되었지만, 가게 분위기는 밝은 그대로다. 낯선 손님이 오면 단골손님이 "어디서 왔어요?" 라며 친근하게 말을 거는 모습도 흔하다. 이자카야면서 식당의 분위기를 겸비하고 있다.

과거의 번영을 연상시키는 사케 「긴류(金龍)」의 승천하는 용.

FILE

창업	게이오 3(1867)년
지역	야마가타현 사카타시
창업 시 형태	서서 마시는 술집
구조	목조 단층집
점주	구무라 도시에(6대째)

서서 마시는 선술집에서 명품 술집으로 변화

이중 현관문을 열면 우측으로 카운터가 있고 세월이 느껴지는 바닥돌도 멋있다. 왼쪽 안쪽에 「마쓰노 로카」가 보인다.

「마쓰노 로카」 다다미에는 좌석이 준비되어 있다.

붉은색과 검정색 찬합 같은 카운터 상판은 유리로 되어 있고 작은 접시가 놓여 있다. 그 아래는 냉장 케이스로 되어 있다.

비길 데 없는 맛을 내는 한 되 병의 술을 직접 데우기 위해 만든 받침대. 추운 북쪽 지방의 선술집의 수호신에게 합장을 하는 사람도 있다.

격식 있는 안쪽 다다미방

우아한 란마가 있는 격식을 갖춘 안쪽 다다미방은 교역으로 번창한 사카타의 부호들과 권력자들을 접대하는데 사용되었다. 좌측의 무지 미닫이문과 우측의 창살이 있는 미닫이문의 대비도 훌륭하다.

도코노마 옆의 신단에는 란마의 커브와 겹쳐져 연속성을 갖는다. 방실 푸른 시키기를 올린다.

벽에 걸린 그림 액자.

미닫이문의 손잡이는 솔잎 문양.

못자국을 가리는 기러기 장식.

DATA 구무라노 사카바	야마가타현 사카타시 고토부키초 1-41 / 0234-24-1935 / 17:30~ 21:00 일·월 정기 휴일(월요일이 공휴일인 경우 일요일 영업, 화요일 휴일)

12
Asahi
SOFT DRINKS
CALPIS
一番搾り
一番搾り

久村酒屋
久村の酒場
居酒屋

도쿠리(徳利)

① 도자기·금속제 또는 유리기의 목이 가늘고 긴 용기. 술, 간장, 식초 등을 넣어두는 것. 특히 술을 넣고 술잔에 따르는 그릇. 술병. 〈에키린본세츠요주〔사전 이름〕〉
② (물속에 넣으면 가라앉는다고) 수영을 못하는 자를 비웃는 말.

—『고지엔』(이와나미쇼텐)

술을 좋아하는 이에게 하나의 즐거움은 손으로 움켜쥐는 도쿠리다. 기본은 백자이며, 흙으로 구운 도기는 다소 취향의 영역이 된다. 동일본의 도쿠리는 대체로 입이 가늘고, 둥글며, 통처럼 묵직한 관동식 도쿠리를 쓰고 서일본의 도쿠리는 버드나무 허리처럼 잘록해, 작고 부드러운 인상을 띤다.

1

2

늠름하게 서 있는 백자 술병. 도쿄「가기야」의 백색 무지는 전형적인 관동 도쿠리이다. 늠름한 모습은 무사 집안의 취향이다. 도쿄의 「아카쓰카」는 약간 매끄러운 느낌이다. 요즘은 보기 드문 「하카마」〔가마형 그릇으로 데운 술, 도쿠리의 운반이나 상 위에 놓을 때 끼우는 통 모양의 기구〕가 마음에 든다. 각각의 가게 이름과 술 이름, 로고가 들어간 것을 보는 건 즐겁기도 하고, 그 가게에 온 재미를 느끼게 한다.

1. 도쿄 「가기야」 P.97
2. 도쿄 「아카쓰카」 P.85
3. 가나가와 「긴지」 P.197
4. 도쿄 「신스케」 P.141
5. 도쿄 「후쿠베」 P.113
6. 도쿄 「기시다야」 P.127

3
4
5
6

文化横丁
源氏

겐지 源氏

골목의 숨은 맛집

미야기현 센다이시

골목의 문화가 뿌리내린 센다이.
뒷골목 끝에 고즈넉이 자리 잡은 술집.
건물은 에도 시대에 지어진 쌀 창고.
등불이 은은하게 가게 안을 비추는
고요하고 평온한 분위기.
술은 1인당 넉 잔에 정해진 기본 안주.
이 공간을 사랑하는 사람들이
각자의 방식으로 시간을 보내는 곳.

번화한 골목의 뒷골목에 알 만한 사람은 다 아는 운치 깊은 창고 술집

동북 지방에 술집 골목이 많은 이유는, 추운 북풍이 부는 날에도 가게들이 모여 있는 좁은 골목길로 들어서기만 하면 금세 따뜻한 공간을 찾을 수 있기 때문일 것이다. 센다이 역시 골목의 도시로, 고쿠분초에는 다테코지, 이나리코지, 다누키코지, 그리고 도라야 요코초〔일본에서 술집들이 밀집해 있는 작은 골목을 가리키는 말.〕가 자리한다. 또한 아오바 도오리와 미나미초 도오리 사이에는 분카 요코초와 이로하 요코초가 나란히 이어져 있다. 조금 떨어진 곳에는 센다이 긴자가, 역 근처에는 잔잔 요코초가 자리해 센다이의 술집 골목들은 도시 전역으로 사방팔방 이어진다.

가장 오래된 「분카 요코초」는 통칭 「분요코」로 불리우며 1924년에 오픈하여 이듬해 개관한 활동 사진관 「분카 키네마」에서 이름을 따왔다.

주방 안은 손님이 있는 자리에서 보이지 않는다. 주문한 음식은 작은 창문을 통해 나오는데 여주인이 직접 나른다.

히가시이치반초 거리를 따라 「분카 요코초」라 적힌 붉은 글씨의 입구 아케이드 표식이 서로 떨어진 두 곳에 서 있고, 골목 안쪽에서 Y자 형태로 합쳐져 반대편으로 이어진다. 밝은 상점가에서 살짝 옆으로 들어가 있는 것이 이 골목의 건전함이다. 골목에는 엔카 포스터 〈분요코 술집/사와 메구미〉가 붙어 있고, 합류 지점의 모퉁이에는 차양이 달린 큰 제등에 〈분요코(文横)〉가 쓰여 있다.

그 합류 지점의 맨 안쪽, 사람 한 명이 간신히 지나갈 정도의 좁은 골목을 왼쪽으로 들어가 다시 꺾인 막다른 곳에 있는 것이 「겐지」다. 작은 가게 이름이 새겨진 등불 달린 포렴은 좁은 골목보다 폭이 넓어 비스듬히 걸려 있다. 처음 온 사람은 다소 주저하게 되고, 아는 사람은 이 좁은 입구에서부터 기대감이 높아진다.

미닫이문을 열면 눈앞에 펼쳐지는 것은 큰 ㄷ자형 카운터가 배식대를 감싸고 있는 구조다. 안쪽은 주방이지만, 요리 전달하는 좁은 입구만 있어 주방 안은 보이지 않는다. 카운터 위쪽에는 같은 형태의 나게시〔전통 건축에서 공간의 격을 나누는 수평 목재〕가 둘러져, 안쪽의 마루 공간을 특별한 장소로 만든다. 중앙이 살짝 움푹 들어간 배 바닥 모양의 천장, 실내를 감싸는 흙벽의 아랫부분은 둥근 대나무로 판자를 잇고 있어 멋스럽다. 실내에는 창이 전혀 없어 외부의 소음이 차단되어 고요한 분위기가 감돈다.

이 건물은 에도 시대 후기 곡물 창고를 먼 친척에게서 물려받아 1950년에 개업하면서 미야다이쿠〔신사·절·궁전 따위의 건축을 전문으로 하는 목수〕에 의해 개축된 것이다. 일반적인 일본 가옥은 한 칸(약

보라! 이 튼튼하고 투박한 카운터를, 긴 의자와 돌바닥, 오랜 세월 손님들의 엉덩이와 발에 닳아 없어진 빛깔이 바로 이자카야의 유산이다. 이런 가게는 오히려 단정한 정장 차림이 어울리지 않을까.

카운터 아래는 안쪽으로 움푹 들어간 배 바닥 모양의 천장과 호응하고 있다.

6자)마다 기둥을 세우고 흙벽으로 연결하지만, 창고는 튼튼하게 하기 위해 그 절반인 3자마다 기둥을 세운다. 그러나 이곳은 그보다 더 촘촘하게 1자 5촌(약 45센티미터)마다 기둥을 세웠고, 기둥을 세우는 받침대도 매우 튼튼하게 만들어졌다. 실제로 지난 동일본 대지진 때도 조금도 흔들리지 않았으며 놓여 있던 한 되짜리 술병 몇 개가 쓰러졌을 뿐, 어떤 피해도 없었다고 한다. 이로 인해 건축 전문가들이 현장을 직접 보러 왔다고 한다.

좀 더 자세히 살펴보자. 정사각형 부지의 천장은 사방에서 중앙을 향해 완만하게 경사진 배 바닥 모양으로 덮여 있고, 그 아래는 네모난 형태로 나게시가 둘러싼 작업 공간이다. 주위를 둘러싼 ㄷ자 카운터는 아래를 향해 비스듬히 설계되어 있는데 위쪽의 배 바닥 모양 천장과 마치 대칭 구조를 이루는 듯하다. 모서리가 둥글게 이어진 카운터의 앞쪽은 손님들의 팔로 인해 반질반질하게 닳아 있으며 발밑에는 통나무 하나가 발걸이로 놓여 있다. 전체적으로 튼튼하고 투박한 구조는 동북 지방의 분위기와 어울린다. 주변을 감싸는 한 장의 긴 의자는 같은 나무 위에 앉는 것도 일종의 인연이라는 느낌을 주며 오랜 시간 동안 닳아서 엉덩이에 닿는 감촉이 부드럽기 그지없다. 출입은 가운데 널판을 짧게 만들어 빼낼 수 있게 했고, "잠깐 나갔다 올게요." "다녀오세요." 하고 일어서서 서로 말을 건네는 풍경 또한 좋다.

실내를 은은하게 밝히는 사방에 있는 등불은 처음 들어갔을 때는 약간 어둡게 느껴지지만, 눈이 익숙해지면 점점 밝아져서 누구나 '이 정도가 딱 좋다'고 느끼게 된다.

동북의 땅에서 오랫동안 사랑받아 온 고풍스러우면서도 기품 있는 분위기

「겐지」의 창업은 1950년이다. 조용한 분위기는 센다이의 실업가와 대학 종사자들에게 인기가 많아 지역 대학 교수들이 단골이었으며 이곳에서 교수회가 열리기도 했다고 한다. 사진에 남아 있는 창업자 다카하시 모토코 씨는 줄무늬 기모노를 멋스럽게 차려입고 있었으며, 다케히사 유메지의 미인화에 나오는 인물과 닮았다는 평을 들었다고 한다.

여주인이 세상을 떠나면서 가게를 닫는다는 이야기도 나왔지만, 단골손님들의 요청으로 회사원이었던 아들 다카하시 시게유키 씨와 그의 아내 히나코 씨가 2대째 가게를 이어받게 되었다. 시게유키 씨가 세상을 떠난 뒤에는 아들 신타로 씨가 다시 그 뒤를 이어 현재에 이르고 있다. 가게를 지키는 히나코 씨는 고풍스러운 배 모양의 전통적인 머리 스타일에 기모노와 소매 있는 흰 앞치마 갓포기 차림이다. 주문을 받을 때 외에는 거의 말을 하지 않고, 일이 없을 때는 구석 의자에 손을 모으고 고개를 숙인 채 앉아 있으며, 초대 여주인이 남긴 〈조용하고 예의 바르게 술을 즐겨야 한다〉는 방침을 지키고 있다.

술은 1인당 4잔까지가 규칙이다. 기본 안주는 창업 이후 70년 넘게 이어온 누카즈케〔쌀겨를 유산균으로 발효시켜 야채 등을 담가 만드는 일본을 대표하는 절임의 하나〕가 나온다. 술 한 잔이 나올 때마다 안주 한 가지가 제공되며, 예를 들어 다음과 같다. 첫 잔은 〈멍게와 수제 안키모〔아귀의 간〕〉가 나오고 두 번째 잔은 항상 〈두부〉를 차갑게 하거나(히야얏코) 따뜻하게(유도후)해서 낸다. 세 번째 잔은 〈제철 사시

「술은 4잔까지」가 규칙이다. 술을 주문하면 안주 한 가지가 제공된다.

미〉를 내고 네 번째 잔엔 〈오뎅〉 또는 〈된장국〉으로 끝난다. 그 외에도 은행 열매, 굴 술찜, 직접 만든 참깨 두부, 고등어 분카호시 등 다양한 요리를 주문할 수 있다.

특히 눈에 띄는 것은 왼쪽 안쪽에 소중히 보관된 옛날 유동식 칸쓰케〔사케를 데우는 행위 및 기술〕 장치다. 1되짜리 술병의 술을 위쪽에서 부으면 둥근 통 속의 뜨거운 물을 돌아 나선형 관을 통해 데워지고 아래의 꼭지를 통해 잔에 따른다. 순간적으로 데워진 술의 부드러운 맛은 마음을 편안하게 해주며 그것이 두꺼운 잔에 담긴 술이라는 점이 추운 날씨에 술이 데워지기를 기다릴 수 없고 찔끔찔끔 마시는 게 아니라 한 번에 들이키고 싶은 동북 지방 기질에 딱 맞는다는 것을 깨닫게 된다. 창업 당시부터 쓰여 온 것까지 네 대의 칸쓰케 장치를 소중히 사용하고 있지만, 이를 수리할 수 있는 장인은 점점 줄어들고 있다.

손님의 주문은 작은 창구를 통해 안쪽 주방에 있는 아들에게 전달되며 시간이 지나면 요리가 나온다. 3대째 주인인 신타로 씨는 돌바닥이나 긴 의자의 손질은 물론 칸쓰케 장치의 수리까지 직접 할 수 있다고 하니 믿음직스럽다. 히나코 씨는 아이들을 키운 후 40세가 넘어서 어린 시절 어머니가 연주하던 치쿠젠비와〔비파의 일종〕를 떠올리며 효도하는 마음으로 비파를 배우기 시작했고, 그 매력에 사로잡혀 지금은 다카하시 교쿠세이라는 이름으로 연주회도 한다고 한다.

세월이 흐르며 윤기와 광택이 더해진 실내, 바깥의 소란을 차단한 어두운 조명, 여주인의 고풍스러운 태도, 술은 4잔까지라는 규칙을 지키며 긴 의자에 앉은 손님들 모두가 옛날부터 변함없는 공기에 젖어 있다.

이것이야말로 이자카야의 유산이다.

창업 당시 여주인 다카하시 모토코 씨와 유동식 칸쓰케 장치. 모두 가게의 주역이다. 모토코 씨의 포즈와 기모노 문양이 멋있다.

文化☆横丁
サッポロビール
江戸前
寿司本
サッポロビール
中国料理
割増商品
寿司本
Garden
KIRIN

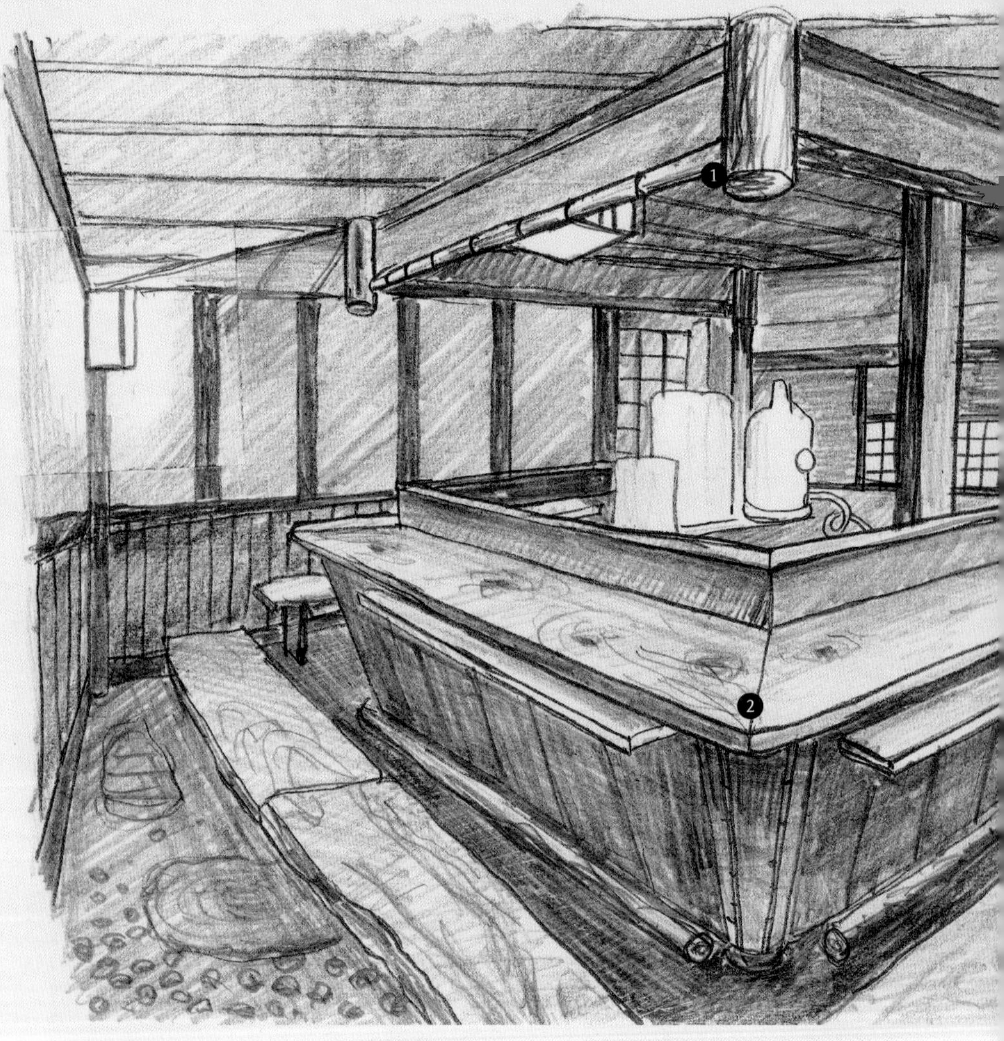

OUTLINE
점포개요

FOUNDED | 창업

1950년에 창업하여 70년 이상 지났다. 3대째의 신타로 씨에게 인계된 것은 15년 정도 전이다. 「조용하고 예의 바르게 술을 즐겨야 한다」는 사상은 초대 때부터 변함이 없다.

HISTORY | 역사

초대째인 모토코 씨(사진)가 세상을 떠났을 때 겐지의 문을 닫자는 이야기가 나왔지만, 단골 손님들이 '계속해 주었으면 한다'라는 말을 듣고 아들 시게유키 씨가 회사를 그만두고 가게를 이어받아 이자카야 예법을 익혔다.

❶ 나게시

카운터 밑과 대응하도록 작업 공간을 둘러싼 수평 목재.

❷ 카운터

카운터의 받침대는 잘 고정되어 있고, 통나무로 된 발 받침대가 안정감을 준다.

❸ 긴 의자

긴 의자 중간은 분리할 수 있기에 여성의 출입에도 편하다.

❹ 돌바닥

돌바닥은 천연석으로 깔려있다

CUSTOMER | 고객층

손님의 연령층이 점차 넓어지고 있어 「겐지」에도 젊은 손님이 늘고 있다. 너무 까다로운 손님에게는 주의를 주기도 하지만, 기본적으로는 조용하고 예의 바르게 술을 즐기는 분들이 대부분이라고 한다.

「술은 4잔까지」의 규칙은 가게의 분위기 조성과도 연결되어 있을 것이다.

FILE

창업	쇼와 25(1950)년
지역	미야기현 센다이시
창업 시 형태	이자카야
구조	목조 건물(원래 곡물창고)
점주	다카하시 신타로(3대째)

에도 시대의 곡물 창고가 명품 이자카야로

좌우 대칭의 카운터 정면에 있는 자리는 가게의 일체감을 만들어 사방에 있는 등불의 불빛이 그 분위기를 조성한다. 안쪽이 요리를 내는 입구이다.

그을린 등롱. 배 바닥 천장의 사선. 고풍스러운 흰 앞치마 갓포기를 입은 여주인은 항상 예의 바르게 가게의 고요한 분위기를 만든다.

이것이 「겐지」의 술

가게의 보물은 「유동식 칸쓰케 장치」이다. 3대째인 신타로 씨의 손에 의해 수리를 반복하면서 사용되고 있다.

두꺼운 잔술은 좀처럼 식지 않고, 양도 안성맞춤이다. 접시에 가득 찬 술을 먼저 접시 그대로 쭉 마시는 게 나의 방식이다.

위에서 술을 넣으면 안의 탕 속 나선관을 통해 데워져 아래의 꼭지를 통해 받는다. 금방 데워진 술은 적정 온도를 유지한다.

DATA 겐지	미야기현 센다이시 아오바이구 이치반초 2-4-8 / 022-222-8485 / 16:30~22:00, 일·월 공휴일 정기 휴일

千住で2番
大はし
大はし
キリンビール

大はし
오하시

센주에서 두 번째로 활기찬 명가

도쿄도 아다치구 센주

소고기 전골이 문명 개화의 상징으로
여겨졌던 메이지 시대,
다리의 이름을 따서 시작된
센주의 소고기 전문점. 오랜 세월 동안
노포 이자카야가 안고 있는
수많은 난관을 넘어 지금까지 이어져 왔다.
가게 안에는 여전히 메이지의 흔적이
남아 있고, 카운터 안쪽에는
당당하게 자리 잡은 커다란 조림 냄비가 있다.
분주히 움직이는 주인장 곁에서
손님들은 저마다 만족스러운 표정으로
이 집의 명물인 '니코미'를 맛본다.
명물엔 반드시 맛있는 이유가 있다.
기타센주.

개업한 지 155년. 북센주 슈쿠바마치도오리 상업 지구를 지켜왔다.
리뉴얼 후에도 「검은 조약돌이 바닥 표면에 드러나게 마무리」한 것에 주목하자.

메이지 시대에 시작해서 명물이 된
소고기 전골

메이지 10년(1877년), 지명 「센주 오하시」에서 이름을 따서 진노 이세키치가 시작한 소고기 가게 「오하시」는 소고기 보급을 위해 소고기 소매와 함께 스키야키를 제공했으며 다이쇼 시대(1912년-1926년)에는 소고기 덮밥을, 전후에는 고기 자투리로 조림을 만들어 그 요리를 대표로 이자카야도 시작했다. 오래된 이자카야에 관심을 가지고 있던 나는 30여 년 전에 방문했다. 그 당시의 기록이다.

옛 닛코 대로에 면한 당시로도 100년을 넘긴 건물은 외관은 평범하지만 안으로 들어가면 그 오래됨을 실감할 수 있다. 바닥은 검은 조약돌이 표면에 드러나게 표면처리를 했고, 흰 회칠 벽과 천장과의 모서리에는 서양식 장식(코니스) 테두리를 두르고 있으며 새로운 시대를 알리는 듯한 메이지 시대의 서양풍이 느껴졌다. 그러나 날개 선풍기 받침대가 남아 있는 천장은 하얀 페인트가 벗겨져 있다.

가게 안에는 변형된 ㄷ자 형태의 카운터가 놓여 있고, 그 옆으로 테이블 좌석이 이어진다. 카운터를 둘러싼 나무로 된 둥근 의자는 디자인이 좋다. 오래된 의자는 손님들의 엉덩이에 닳고 닳아 윤기가 나는데 만약 가게를 닫을 때가 오면 의자 하나만 꼭 달라는 손님들이 많다고 한다. 카운터 안쪽에는 전용 가스대에 60센티미터 크기의 소고기 니코미 냄비가 수역으로서 반쪽이 붙은 채 지키고 있고, 벽에는 이곳에 살았던 화가 이토 세이우의 전단지가 걸려 있다.

기타센주에는 명물이 있다.
바로 소고기 조림으로 유명한 오하시

「센주에서 두 번째」라고 덧붙인 이유는 손님의 의도다. 적갈색 국물에는 두부도 떠 있다. 고기 두부라고 주문하면 이것이 나온다. 일반적인 이자카야의 조림은 돼지고기 곱창이지만, 여기서는 소고기다.

4대째 주인 진노 히코지 씨는 50년 동안 조림을 만들어 왔으며 가게 안에 손님이 가득차면 재빠르게 주문을 처리하고, 한가해지면 냄비 앞에 서서 무릎을 가볍게 흔든다. 일하고 싶어서 참을 수가 없는 것 같다.

"자, 조림이요!"

"자, 맥주요!"

'자'는 그의 입버릇으로 손님의 '계산'하면 '자'하고 계산기를 두드린다.

나는 헤이세이 5년(1993) 『엄선된 도쿄의 이자카야』에서 이 오래된 가게와 만난 기쁨을 적었고, 헤이세이 13년(2001) 『개정판 엄선된 도쿄의 이자카야』에서는 건물의 가치를 강조하며 끝을 이렇게 맺었다. '가게는 사용할 수 있는 한 지금의 모습 그대로 이어가겠다는 주인의 결의가 든든하다.'

건물이 새로 지어지더라도 변하지 않는 것

헤이세이 15년(2003)에 방문한 나에게 진노 씨가 "실은 재건축을 하기로 했습니다."라며 목소리를 낮추어 이야기를 했다. 이자카야 팬이나 나 같은 사람들은 흔히 이자카야의 건물은 오래된 것이 좋다고 말하지만, 오래된 집을 유지하는 것이 얼마나 힘들고 비용이 많이 드는지에 대해서는 생각하지 않는다. 이자카야는 매일 많은 사람들이 출입하고, 불과 물도 많이 사용되며 열기도 차서 건물이 쉽게 낡아버린다. 100년 이상이 지나면 바닥이 기울어지고, 문도 잘 열리지 않으며 테이블의 컵이 기울어져 손님은 웃지만 가게는 신경이 쓰인다. 커다란 니코미 냄비 가스대는 위에 환기팬이 없어서 소방서에서 주의를 받았다. 진노 씨는 이자카야는 건물을 새로 지으면 손님들이 떠난다는 것을 잘 알고 있었고 걱정이 되었으나 4년 간 고민한 끝에 이제는 어쩔 수 없다고 말했다.

그 해 여름에 다시 방문했을 때 2층짜리 집은 없어지고 공터에 새 건물이 지어지기 시작했다. 그곳에서 임시 거처 중인 진노 씨가 우연히 나타나 건설 중인 내부를 안내해 주었다. 자리 배치는 그대로 두고, 뒤쪽 좌석은 없애고 주방을 넓히며 아들 부부의 거주 공간을 위해 3층 건물로 짓기로 했다. 공사 업체에는 옛 모습은 최대한 그대로 유지하라고 강하게 주문했다고 하나 얼굴 표정은 불안해 보였다. 신축하는데 이렇게 걱정하는 건축주는 드물었다. 새로 개업하는 날짜는 아직 알 수 없지만, 그의 눈은 '오타 씨 꼭 와주시겠지요?'라고 말하는 것 같았다.

「오하시」의 재건축 소문은 단골손님들 사이에 퍼졌다. 원래 항상 빈자리가 없을 정도로 가득차고 먼 곳에서 오는 손님들도 끊이지 않는 인기 있는 가게였다. 마지막 일주일은 보러 오는 사람들로 대기 줄이 계속 이어졌다고 한다.

새로 문을 연 것은 그해 12월이었다. 나는 첫날은 붐빌 것 같아 3일째 갔다.

기타센주 역에서 숙박 동네 거리로 돌면 이미 줄이 서 있다. 혼자 온 나는 맨 뒤에 서서 약 50분 후에 드디어 안으로 들어갔다. 안에서 다시 보조 의자에 앉아 기다린다. 손님으로 붐비는 가게 안은 서로가 어깨를 부딪치며 모두 당겨 앉았다. 필사적으로 움직이는 진노 씨와 아들도 패닉 상태였고, 눈이라도 마주치며 그들에게 '축하합니다'라고 말하고 싶었지만 그럴 타이밍도 없었다. 가게 내부는 물론 새로워졌으나 배치는 거의 변하지 않았고 커다란 니코미 냄비도 여전히 같은 자리에 놓여 있었고 전단지도 여전히 걸려 있으며 위에는 환기팬이 설치되어 있었다. 넓어진 뒤쪽 주방은 반짝이는 스테인리스로 꾸며졌다.

그리고 손님들의 얼굴, 얼굴, 얼굴. 이렇게 기뻐하며 이자카야에 앉아 있는 손님의 얼굴을 본 적이 없다. 그것은 예전과 변하지 않은데 대한 안도감이었다. 모두 오랫동안 자리를 떠나지 않을 것 같았다. 나는 그것을 보는 것만으로 만족하며 자리에 앉지 않고 가게를 나왔다.

낡은 것을 소중히 여기며 정성껏 남기려는 마음

"그때 정말 대단했죠?"

"네, 오타 씨에게 꽃을 받았다는 감사 인사도 못 드렸네요."

어느 정도 시간이 지나고 이제 괜찮겠다고 생각해 다시 방문했을 때 진노 씨는 감회가 깊은 표정으로 말했다. 새로 문을 연 가게에 단골들은 한 번쯤 와줄 것이라고 생각했으나 문제는 그 이후에도 손님들이 계속 와줄 것인지가 문제였고, 반년 동안이나 걱정을 했다. 그러나 예전처럼 매일 가게가 가득 찬다고 했다.

새로 개점하고 나서 19년이 지나, 연호도 레이와〔일본 연호. 헤이세이 다음〕로 바뀐 지 4년이 되었다. 메이지, 다이쇼, 쇼와, 헤이세이, 레이와를 이어온 것이다.

이번엔 가게 내부를 자세히 살펴보자.

메이지 시대의 서양식 느낌이 나는 천장과 벽 사이의 장식 테두리를 남기고, 입구 옆 손 씻는 곳은 새것으로 교체되었으며, 안쪽에 있는 ㄷ자형 카운터 사이에는 주인이 다닐 수 있을 정도의 좁은 공간이 그대로 남아 있다. 카운터를 둘러싼 둥근 의자 50개는 새로 구입하였고, 원래 있던 삼각받침대 의자는 3개만 남았다. 이 높은 둥근 의자와 낮은 카운터의 균형이 앉는 손님들에게 일체감을 만들어낸다. 한편 오른쪽 4인용 테이블에 있는 사각형 의자는 쿠션이 있고 낮아서 여기는 친구들과 함께 천천히 술을 마시기에 좋다.

특히 감동적이었던 것은 비용이 가장 많이 들었다고 하는 검은 콩자갈 바닥의 재현 작업이었다. 오래된 검은 돌을 세심하게 벗겨내고 다시 매화꽃처럼 3개씩 배열시켰는데 그곳의 돌만은 100년 동안 밟혀서 평평하고 귀엽게 배열된 모습이 떠오른다. 새로운 것들은 아직 표면이 동그랗고 낯설다. 지금은 거의 하지 않는 공사로 재료를 모으는 것만으로도 힘들었을 텐데, 그 기술을 이어가려는 의도도 있었던 것 같다. 발바닥에 느껴지는 울퉁불퉁한 느낌은 '이자카야 최고의 바닥'이라고 칭찬하고 싶을 정도다. 이 검은 조약돌 바닥에 크림 화이트 카운터, 카운터를 둘러싼 갈색의 둥근 나무 의자들이 조화를 이루는 공간은 세련되었다고 할 수 있다.

또 하나 멋진 점은 예전 그대로 남아 있는 뒤쪽 주방에서 요리를 낼 때 쓰는 미닫이문 틀이다. 삼나무 잎과 같은 모양이 있는 유리문은 지금은 보기 드문 흐린 형태

원래 정육점이었던 시절부터 이어져 온 부동의 간판 요리. 메뉴 왼쪽의 짧은 글귀는 단골이었던 화가 이토 세이우의 것이다. 낡은 전단지도 그대로다.

의 판유리로 되어 있으며 나무틀의 손잡이는 너무 닳아서 더 이상 기능을 하지 못할 정도이다. 오른쪽 화장실 입구의 문도 동일한 사양으로 손잡이는 닳아 있다. 이런 것들을 정성스럽게 남기고 다시 사용하고 있다는 섬세함이 느껴진다.

국물용과 건더기용으로 큰 숟가락이 2개 들어가 있는 거대한 니코미 냄비 전용 가스대 옆에는 조림용 작은 접시들이 쌓여 있고, 국물을 조금 떠서 바로 내어 놓을 수 있다. 뒤쪽에 있는 서랍이 달린 오래된 나무 상자는 금고였고, 금전등록기도 사용해 보았지만 무엇이든 급하게 일을 처리하는 진노 씨에게는 너무 느리게 작동해서 쓸모없다고 판단하여 그만두었다. 그 가게에서 가장 오래된 나무 상자로 된 금고와 받침대는 마치 수호신 같은 존재였다. 센주 모토히카와 신사 연등 곁에 달린 멋지고 훌륭한 나무 조각의 도깨비 얼굴도 기억에 남는다. '오하시(大はし)'라는 글자를 도려내서 만든 장식판은 원래 2층 다다미방에 있던 것이다.

오늘의 발견은 바닥에서 다섯 단에 걸쳐 진열된 긴미야 소주병 선반 위에 놓인 10점의 액자들이다. 여기에서 사랑받고, 전단지에 문구를 남긴 화가 이토 세이우가 그린 「센주 10제」의 작품으로, 원본은 구청에 보관되어 있고 복사본을 액자에 담아 놓았다.

〈도쿠가와 이에미쓰와 칼걸이 소나무〉, 〈도쿠가와 요시무네와 빛나는 차주전자〉, 〈다테마사무네와 총포대〉, 〈산킨코다

주인과는 20여 년 이상 아는 사이지만 옛날과 조금도 변함없는 사이이다.
우리 소고기를 먹으며 오래오래 삽시다.

이토 세이우가 그린 「센주 10제」중에서 〈산겐자야 찻집에서 벚꽃 구경〉, 〈도쿠가와 요시노부가 에도를 떠나다〉, 〈마츠오 바쇼의 여행〉.

이〔에도 막부가 넓은 영지를 가진 무사들에게 교대로 일정한 기간씩 에도에 머무르게 한 제도〕〉, 〈마츠오 바쇼의 여행〉, 〈도쿠가와 요시노부가 에도를 떠나다〉 등과 같은 역사적인 장면들, 그리고 〈줄다리기 달인〉, 〈연을 만드는 대나무 살에 꽂아 통째로 구운 붕어구이〉, 〈신카이하시〉 등 지역 사람들의 삶이 정성스럽게 그려졌고, 〈산겐자야 찻집에서 벚꽃 구경〉 속 술에 취해 있는 사람들의 묘사는 아무리 봐도 질리지 않는 걸작이다.

계승되고 나름어시는 명집의 매력

모든 손님이 주문하는 츄하이〔긴미야 소주와 매실 시럽을 섞은 음료〕는 본인이 소다수로 농도를 조절한다. 무엇보다도 먼저 「니코미〔닭고기, 돼지고기, 소고기, 소고기 내장 등을 푹 끓여서 만든 요리〕」를 주문한다. 단골들은 첫 번째 국물을 두 번째 접시에 옮겨서 아래에 쌓아두기도 한다. 예전에 들었던 이야기인데 어떤 사람이 최고 10장의 니코미 접시를 쌓았는데 그 기록은 여성 손님에 의해 20장으로 갱신되었다고 한다. 계산은 쌓은 접시 숫자대로 빠르게 주판으로 셈한다. 특별히 주문한 대형 냄비는 새것으로 준비되어 있다.

천천히 둘러보며 깨달은 점은 메뉴가 매우 충실하다는 것이다. 회는 가다랑어, 참치, 광어, 참돔이 있다. 대합, 흰 새우, 뱅어(가스미가우라 산), 그 외에도 파래, 관자와 조개류가 충실히 준비되어 있어서 기쁘다. 긴 꼬리 도미 다타키〔생선 표면을 살짝 불에 구워 겉면은 익히고 속은 익히지 않은 상태로 만드는 요리〕도 맛있어 보인

4대째인 현 주인인 진노 히코지 씨(2023년 별세하셨다).
13남매 중 일곱 번째 아들로 가게를 물려받았다.

다. 생선 튀김은 도미라서 고급스럽다. 니코고리(냉채 젤리), 해삼 식초절임, 복어 껍질 폰즈, 장어 난반즈케(생선을 튀겨 파와 고추를 넣은 단 식초에 재워 먹는 요리) 등 술안주도 풍성하게 준비되어 있으며 평균 가격대는 약 480엔 정도다. 여름에는 야나가와 나베(미꾸라지 전골)가 인기를 끈다. 근처에는 도요스 시장과 함께 어깨를 나란히 하는 도쿄도 중앙 도매 아다치 시장이 있어서 이제는 니코미만 파는 가게가 아니게 되었다. 이렇게 된 데에는 다섯 번째 대를 이어받은 아들 코지 씨의 힘일 것이다. 아버지와 마찬가지로 바삐 움직이는 모습에 미소가 지어진다.

진노 씨는 두 아들에게 가게를 이어받으라고 말하지 않았다. 의학을 공부한 형은 미국 의대로 파견되어 최근에 귀국해 개업했다. 동생에게도 네가 의사가 되었으면 좋겠다고 했지만 동생은 가게를 잇겠다고 대답했다.

"두 분 다 훌륭하시네요."

"아니요, 아니요. 아들들끼리 대화해서 결정한 것 같아요."

진노 씨는 1934년 생으로 13남매 중 일곱 번째 아들이다. 창업한 할아버지, 아버지, 형에 이어 네 번째 대를 이어갔다. 전후에 소고기 집을 운영하면서 이자카야도 시작했을 때는 생선에 대해 잘 몰라서 고생했다고 한다. 올해 94살이 되었고, 귀가 조금 들리지 않는다고 하지만 피부는 윤기 있고 혈색도 좋아 무엇을 부탁하면 바로 움직일 정도로 체력이 좋다. "매일 소고기를 먹고 있기 때문일까요?" "그럴까요? 어쨌든 건강이 제일이죠." 하고 엄지 척을 하며 웃는 미소가 멋졌다.

大はし

OUTLINE
점포개요

FOUNDED | 창업

메이지 10년(1877) 센주 오하시에서 소고기 가게 「오하시」라는 이름으로 창업했다. 가게 이름은 지명에서 따온 것이다. 4대째 진노 히코지 씨는 13남매 중 일곱째로 태어났으며 가게를 이어받았다.

HISTORY | 역사

원래는 소고기 가게로 창업했지만, 전쟁 중에는 도쿄도의 요청으로 조스이〔밥을 지은 다음 그 밥을 한 번 씻어 육수와 건더기를 넣어 끓인 것. 어려운 시절에 음식의 양을 늘려서 먹는 잡탕죽이라고도 한다. 밥의 식감을 남기기 위해 너무 익히지 않는게 포인트다〕 식당이 되어 시민들의 식생활을 지탱했다. 냄비를 가져와서 죽 종류인 오지야〔밥을 씻지 않고

❶ 코니스
벽과 천장의 모서리에 두른 코니스는 창업 당시 서양풍 연출이었을 것이다. 이것도 개축하면서 그대로 따랐다.

❷ 손 씻는 곳
현관에 손 씻는 곳을 두는 것은 옛날 위생법이었을 것이다. 이것도 새것으로 같은 위치에 두었고, 아래쪽 바위 장식도 그대로 두었다. 모두 여기에서 손을 씻읍시다.

❸ 창업 당시 의자와 바닥
창업 당시 삼각받침대 의자. 발밑에는 검은 조약돌로 매화꽃처럼 3개씩 배열시켰다는 점이 멋지다.

❸ 의자
둥근 의자. 새롭게 50개를 구입한 원형 의자다. 높은 좌석 디자인이 멋지다.

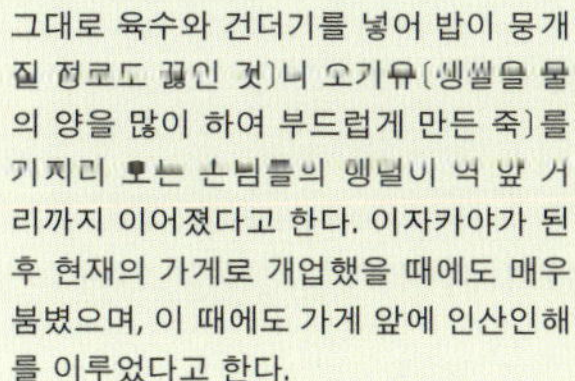

그대로 육수와 건더기를 넣어 밥이 뭉개질 정도로 끓인 것)나 오카유(생쌀을 물의 양을 많이 하여 부드럽게 만든 죽)를 기지러 오는 손님들의 행렬이 역 앞 거리까지 이어졌다고 한다. 이자카야가 된 후 현재의 가게로 개업했을 때에도 매우 붐볐으며, 이 때에도 가게 앞에 인산인해를 이루었다고 한다.

CUSTOMER | 고객층

최근 혼자 방문하는 젊은 층이 늘고 있다고 한다. 예전에는 가게 앞에 영화관이 있어 영화를 보고 돌아가는 손님도 많았다고 한다. 선대의 「남에게 폐를 끼치지 말자. 손님을 소중히 여기자」라는 가르침을 계속 지키고 있다. 오랜 단골손님의 경우 그 자녀도 단골손님이 되었다고 한다.

FILE

창업	메이지 10(1877)년
지역	도쿄도 아다치구
창업 시 형태	소고기집
구조	목조 2층 건물
점주	진노 히코지(4대째)

창업 당시 있던 그대로 쓴다

주방에서 요리를 낼 때 쓰는 미닫이문 틀도 그대로 설치했다. 개축하고 나서야 보이는 품격의 훌륭함. 손잡이는 닳아서 손가락이 걸리지 않을 정도다.

화장실 입구의 삼나무 잎 무늬가 있는 문도 그대로 살렸다.

메뉴 목록 위에 있는 여러 가지 장식물.

창업부터 쓴 나무 상자 금고. 가게를 지키는 수호신이다.

손님을 노려보며 한 세기

센주 모토히카와 신사의 나무 조각 도깨비 얼굴이 노려보고 있다.

긴미야 소주 보관병이 가득하다. 이 술을 매실 시럽과 소다수를 섞어 마신다.

DATA 오하시	도쿄도 아다치구 센주 3-46 / 03-3881-6050 / 16:30~21:00 / 토·일 공휴일 정기 휴일

創業明治三十八年 電話294五四三三
白鷹
みますや
創業明治三十八年
みますや
どぜう

미마스야 みますや

문화유산적 가치가 있는 건물

도쿄도 지요다구 간다

문화를 사랑하는 거리 · 간다에 현존하는
도쿄에서 가장 오래된 이자카야.
역사가 있으나 거드름 부리지 않는,
바로 이곳이 이자카야라고 해야 할 곳.
누구나 편안하게 들어올 수 있는 공간과
술을 마시고 싶어지면
여기만 오면 된다는 안도감.
정해진 요리와 전국 각지의 1등급 술.
간다답게 문화와 사회 이야기를 술안주 삼아
마음껏 이야기하며 밤을 지새우자.

현관에 들어선 모습이다. 우측 위에 간다묘진〔神田明神, 가정의 행복과 평화를 지켜주고 남녀의 인연을 맺어주는 신〕이 있다. 중앙 센터가 주방이고 안쪽에 큰 방이 있다. 아래 사진은 앞좌석 맞은편 작은 방이다.

110년 이상의 역사를 자랑하는 도쿄의 가장 오래된 이자카야

도쿄에서 지금도 계속 운영되고 있는 가장 오래된 술집은 간다의 「미마스야」다. 창업자인 오카다 조조는 아사쿠사에서 장작과 숯을 장사하던 사람이었지만 도쿄에 가스 회사가 생기면서 상황이 좋지 않아져서 점쟁이에게 점을 봤더니 음식점은 언제까지고 사라지지 않는다는 말을 듣고 업종을 바꿔 간다에서 이자카야를 시작했다고 한다. 그것이 메이지 38년(1905) 5월 1일, 러일 전쟁에서 승리한 해였다. 그에게 숯을 받았던 고급 요리집 사람들이 자주 술을 마시러 와서 요리를 가르쳐 주었다고 한다.

당시에는 메뉴도 적고 종업원이 "오늘 가능한 요리는" 하고 7, 8가지 음식을 소개했다고 한다〔종업원이 "이런 종류의 음식이 가능합니다'라고 말하면, 돈이 없는 무사들이 "그런 종류의 음식을 다오"라고 받아치는 일본 전통 만담에서 유래〕.

점심도 제공해서 근처의 간다 시장이나 인쇄, 제본 공장의 직원들이 자주 와서 성황을 이루었으며 하루에 두 번 오는 손님이 있어서 만든 〈두 번째 방문은 삼가해 주세요〉라고 쓴 전쟁 전의 나무 표지판이 남아 있다. 건물은 관동 대지진으로 불타버렸지만 1928년에 지진 이후 유행한 동판으로 된 간판 건축〔건물의 정면 부분을 동판으로 덮어 간판처럼 보이기 때문에 '간판 건축'이라고 불림〕 방식으로 재건된 것이 지금의 2층 집이다. 도쿄 대공습 화재 때는 이웃들이 모두 나서서 양동이 물을 릴레이로 전달해서 막았다. 즉 수리는 했으나 117년 전에 창업한 94년 된 건물에서 술을 마실 수 있다.

넓은 가게 안에 작은 다다미방과 큰 방이 있는 유니크한 이자카야

지하철 아와지초 역에서 몇 분 거리. 가게 앞에 서면 묵직한 건물의 구조에 경외감이 든다. 자갈로 마감한 벽 위에 난 창문이 있고 현관문 양옆에는 한 칸씩, 길이는 대략 4척인 가장 굵은 새끼줄로 된 포렴이 걸려 있다. 왼편 차양 아래는 〈도제 미마스야〉라는 큰 붉은 등이 걸려 있다. 〔도제는 미꾸라지를 일컫는다.〕 긴 차양 위 2층 외벽은 바람과 눈비에 씻겨 청록색으로 변한 동판으로 단단히 덮어 있고, 그 중앙에는 작은 받침 달린 창이 나 있다. 왼쪽 차양 끝에는 상자형 등 구조의 돌출 간판이 달려 있으며, 그 안에는 '창업 메이지 38년 미마스야' 라는 글자와 '청주 하쿠타카(白鷹)', 그

건물의 정면 부분을 동판으로 덮어 간판처럼 보이게 하는 건축물을 희미하게 밝히는 붉은 등. 새끼줄로 만든 포렴을 들추고 통과하면 도쿄 최고의 이자카야 풍경이 펼쳐진다.

가게 중앙에는 창업 때부터 계산대가 있어서 이곳이 「미마스야」의 핵심임을 느끼게 한다.

리고 전화번호가 함께 적혀 있다.

살짝 삐걱거리는 문을 열고 가게 안에 한 걸음 들어서면 117년 동안 이어져온 공기의 고요함이 피부로 느껴진다. 한눈에 들어올 만큼 넓은 공간 위로, 두께가 한 자, 약 30센티미터에 이르는 굵직한 대들보가 높은 천장을 가로지르며 반듯하게 놓여 있다. 이는 통나무를 그대로 드러낸 시골집 풍과는 달리, 에도, 즉 도쿄식 도시 상가 특유의 단단하고 정제된 목조 구조를 보여준다. 바로 오른쪽에 있는 8장의 다다미가 깔린 방에는 6인용 테이블 3개가 놓여 있으며 그 위에 모셔진 간다묘진 사당에는 금줄 곁에 술잔이 놓여있고, 〈간다 묘진 숭경 회원〉이라는 표찰은, 이 가게가 지역 상인 공동체의 일원으로 신사를 받들어 왔음을 보여준다.

넓은 가게 안은 중앙의 큰 기둥을 중심으로 구성되어 있다. 왼쪽에는 작은 다다미방이 있고, 그 뒤로 두 개의 방이 이어진 큰 방이 자리한다. 안쪽에는 주방 앞에 커다란 테이블이 놓여 있으며, 오른쪽으로는 별실 같은 분위기의 의자석이 길게 늘어서 있다. 다다미방 테이블에는 모두 청색 방석이 깔려 있으며 이와 같은 배치는 혼자든 대가족이든 이곳에만 앉으면 안심하고 있을 수 있다는 신뢰감을 준다. 반대로 카운터석은 없다. 주인을 상대로 홀짝홀짝 술을 마시는 그런 분위기가 아니라 누구나 이곳에 와서 즐겁게 마시다 가면 된다. 이것이 바로 이자카야다.

가운데 기둥 옆에는 3대째 오카다 가쓰타카 씨의 작업용 책상과 회전의자가 놓여 있으며 전화번호부, 전표, 예약표 등이 쌓여 있는 계산대에서 항상 가게 전체를 살펴보고 있는 주인의 모습이 든든하다. 나는 집으로 돌아갈 때마다 항상 인사를 드린다. 보여주신 오래된 네모난 젓가락 꽂이에 새겨진 「미마스야」는 3대째가 중학생 시절에 새긴 것이며, 그 외에도 넓은 나무판자에 새겨진 「미마스야」와 야키이타〔삼나무판의 표면을 구워 탄화시킨 외장재〕에 새겨진 '화장실'도 있다. 현관 오른쪽에 있는 후지산과 소나무, 절 지붕을 정교하게 조각한 우편함도 그의 작품일까. 한번 둘러볼 가치가 있다.

나는 혼자 올 때는 현관 바로 우측에 있는 다다미방 합석 자리에 앉아 넓은 가게 안을 바라보며 시간을 보내고, 또 다른 때는 몇 번이나 회의나 모임을 마친 후 다 같이 몰려갔으며 언젠가는 작가 시이나 마코토 씨 등 몇 명을 모시고와서 가게를 소개하기도 했다. 이곳처럼 사람을 데리고 와서 기뻐하며 가볍고 편안한 마음이 드는 곳은 없다. 젊은 미녀들에게 가게를 안내했을 때도 매우 기뻐들 했다. 있을 수 없는 일이지만 만약 내가 요시나가 사유리〔일본의 배우, 가수〕 님을 초대한다면 바로 이 가게일 것이다.

노인과 어린이, 남녀를 가리지 않으며 깊은 배려와 편안함을 주는 가게

꿈은 그렇다 치고 이제 술 이야기다. 옛날에는 몇 가지 종류뿐이었는데 지금은 전국에서 온 명주들이 갖추어져 있다. 그다지 달필은 아니지만, 손글씨로 「히타카미(日高見)」, 「호오비덴(鳳凰美田)」, 「구헤이지(九平次)」, 「난부비진(南部美人)」 등을 종이에 크게 써서 붙여둔 것이 좋다.

한편 안주는 전쟁 전부터 사용하던 검은 메뉴판에 가격을 명시하여 줄줄이 붙이 있어서 가세의 무게감을 보여준다. 참치회, 낙지 낫토, 고등어 소금구이, 된장 조림, 임연수, 고둥, 은대구, 생선튀김, 구운 가지, 두툼한 계란말이, 긴피라〔설탕, 간장을 이용해 매콤달콤하게 볶은 일본 반찬. 우엉 긴피라가 대표적〕 등 마지막으로 자루 소

큰방으로 올라가는 입구. 가지런히 늘어선 방석. 미닫이문 손잡이의 X자 모양이 그립다.

바와 카레 소바가 있다. 모두 싸고 간단한 도쿄의 전통적인 이자카야의 메뉴들이다. 사쿠라 사시미〔말고기 회〕, 도제니〔통째로 익힌 미꾸라지 요리〕는 나름대로의 맛이 있고 니신보니〔말린 청어를 달짝지근하게 익힌 교토 요리의 일종. 청어 소바의 재료〕의 맛이 진한 조리법도 도쿄답다.

내가 가장 먼저 주문하는 요리는 〈기세쓰노 누타〔계절 무침〕 550엔〉이다. "처음엔 뭐부터죠?"라고 물어보면 부추와 함께 그날의 재료에 따라 참치일 수도 있고, 바지락이 나올 수도 있다. 작은 그릇에 처음 나온 요리와 부추를 초된장 소스에 넣고, 가장자리에 겨자를 발라 휘젓는 것은 모든 걸 스스로 하려는 성급한 도쿄 사람의 취향이다.

다음은 〈고하다스〔전어 초절임〕 550엔〉이다. 이곳의 고하다는 스시집처럼 작고 고급스럽게 나오는 것이 아니라 큰 몸통을 투박하게 썬 형태로 가겐스의 식초 맛이 옅지도 않고 지나치게 시지도 않은 두툼한 육질이 그야말로 남자다운 맛이다.

그렇다. 여기 「미마스야」의 매력은 바로 남자다운 도쿄 취향이라고 할 수 있다. 수십 년 전 처음 이곳에 들어왔을 때 오자키 시로의 『인생극장』 주인공 아오나리 효키지가 청운의 뜻을 품고 도쿄에 와서 은사인 구로마 선생님을 만나 인생이라는 극장에 나가는 장면이 바로 이런 이자카야에서 일어나는 일이 아닐까 생각했다.

손님은 대학 교수나 출판 관계자, 진보초 고서점을 순례하는 중장년층. 일을 마친 샐러리맨과 커플, 최근에는 여성 그룹까지 다양하다. 누구든 이곳에 오면 마음이 젊어지고, 세상의 잡다한 풍속을 털어내듯 담론을 나누게 된다. 대학가답게 일하는 이들은 대부분 아르바이트 학생들로, 정시에 와 간단히 식사를 하고 곧바로 일에 들어간다.

입구 왼쪽 지반이 약간 가라앉아 있어 테이블이 기울어지는 건 애교스럽다. 제국호텔에서 열린 가게 100주년 기념일에 제작된 기념품을 받았다. 무겁고 고풍스러운 가게 내부에 새로 교체한 백목재로 반짝이는 큰 테이블들이 있고, 그 두께는 15센티미터로 스모 선수가 와도 괜찮을 것이다. 이 테이블 역시 100년을 쓸 각오인 것이다.

간다는 학문과 문화의 동네다. 미마스야에 앉으면 청운의 뜻이 솟아오른다. 인생에 감동을 느끼며 청춘이 된 기분을 맛볼 수 있다면 좋지 않을까? 인생에는 오르막길도 있고 내리막길도 있겠으나 나는 이곳이 있어서 안심할 수 있다.

100년 된 고전 술집이라 해도 고급스러운 품격을 요구하지 않으며 끝까지 대중성을 지키는 오래된 이자카야가 든든히 존재하기에 그렇다.

一番搾り
600円
キリンクラシックラガー
菱屋
南部美人
真澄
九平次
魔王
白鷹

OUTLINE
점포개요

FOUNDED | 창업

현존하는 가게로 도쿄에서 가장 오래된 이자카야다. 창업자 오카다 조조 씨는 아사쿠사에서 숯 가게를 운영하고 있었지만 도쿄에 가스 회사가 설립되자 전직을 위해 간다로 옮겨서 이자카야를 시작했다.

HISTORY | 역사

원래 건물은 관동 대지진으로 불에 타버렸고 1928년에 재건되었다. 현재 원래 건물을 아는 관계자는 없는 것으로 알려졌다. 당시에는 가게 부근에 시장이 있어서 매우 번창했다.

CUSTOMER | 고객층

큰방이 있어서 많은 손님을 받는 것이 특징. 최근에는 여성들끼리만 오는 일도 늘었다. 여주인이 "옛날에는 접시가 깨질 정도로 손님들이 싸움을 벌인 적도 있었습니다."라고 말했다. 지금도 딱딱한 규칙 같은 건 없고, 싸우지 말고 조용히 술을 마시면 된다고 한다.

FILE

창업	메이지 38(1905)년
지역	도쿄도 지요다구
창업 시 형태	이자카야
구조	간판 건축 구조로 2층 건물
점주	오카다 가쓰타카(3대째)

❶ 현관

창문을 끼운 현관문에는 좌우로 한 칸 정도의 새끼줄로 된 포렴이 있다. 원통 모양의 붉은 등에는 명물 메뉴인 「도제(どぜう)」(미꾸라지)라는 글자가 적혀 있다.

❷ 2층

창업시 건물은 관동 대지진에 의해 한 번 소실되었고, 현재의 건물은 지진 재해 후 건물의 정면 부분을 동판으로 덮어 간판처럼 보이게 한 간판 건축이다.

❸ 등롱

2층 양 옆에는 가게 이름이 들어간 등이 걸려 있으며 「니혼슈 하쿠타카(清酒 白鷹)」와 「미마스야(みますや)」라고 적혀있다. 이 간판이 가게의 표시다.

넓은 안쪽 다다미방, 명물 안주

단정한 두 칸짜리 다다미 방. 이곳에서 잔치를 벌이면 반드시 흥이 난다.

명물인 〈고하다스〉를 빼놓을 수 없다.

다다미방 좌측에 있는 춤추는 게이샤의 그림이 눈을 편안하게 한다.

말고기인 〈사쿠라 사시미〉는 혈기왕성한 간다의 안주.

대중적인 이자카야의 명물 미꾸라지를 통째로 익힌 〈도제니〉.

역사를 만드는 수제품

건물을 지었을 때 어시장 관계자 분이 축하하며 준 것.

다다미방 정면 위에는 간다묘진을 모시고 있다.

젓가락 꽂이는 3대째가 중학생 시절에 만든 작품.

다양한 마네키네코(앞발로 사람을 부르는 시늉을 하고 있는 고양이 장식물. 손님이나 재물을 불러들인다 하여 상가에서 장식으로 쓴다)가 있고 가게 이름이 적힌 도쿠리가 있다.

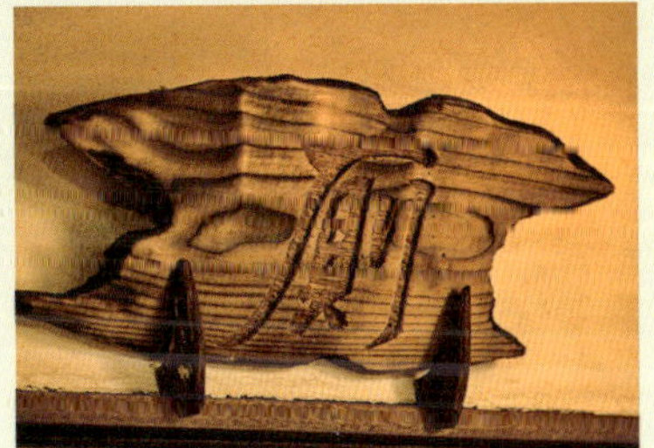

화장실 입구는 삼나무판의 표면을 구워 탄화시킨 야키이타로 되어있다.

DATA	
미마스야	도쿄도 지요다구 간다 쓰카사초 2-15-2 / 03-3294-5433 / 월~금 11:30~13:30, 17:00~23:00(LO. 22:20), 토 17:00~22:00(LO. 21:20), 일, 공휴일 정기 휴일

真澄
九平次
特別純米酒
菱屋
七五〇円
獺祭
さつま司 3000円
時代を超えた、昭和のラガー
キリンクラシックラガー
取扱店
麒麟麦酒

刈穂
岩手県
南部美人
魔王
九平次
七田
純米
日高見
一合七五〇円
八海山
ビール
¥350
No.1
DRY ZERO
500円

포렴[노렌]

① 처마 끝에 쳐서 차양으로 사용하는 천. 원래는 절에서 겨울철 틈새 바람을 막기 위해 사용하던 천이다. 에도시대 이후 상가에서 상호 등을 염색하여 상업용으로 사용했다.
일본사전「포렴으로 막다」.「~을 통과하다」,「새끼줄~」
② 노렌명[가게 이름을 적어넣은 노렌]의 약칭
③ 일반적으로 방 칸막이에 늘어뜨리는 짧은 천.

—『고지엔』(이와나미쇼덴)

포렴이 나오면 개점, 내려가면 폐점인 걸 쉽게 알 수 있다. 「나와노렌(새끼줄로 된 포렴)을 통과」한다는 식으로 이자카야에 들어가는 것을 표현하기도 한다. 가게 이름이 들어간 천으로 된 포렴은 감색 바탕에 흰색 글자가 기본이다. 현관 좌우에 당당하게 자리한 대범함. 작은 요리집일 경우에는 갈색으로 된 미니 포렴을 쓴다.

1

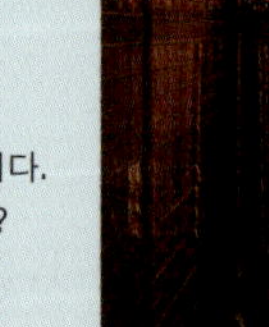

2

3

4

5

포렴이야말로 이자카야의 상징이다. 어때요. 들어가 보고 싶어지겠죠?

1. 도쿄「미마스야」P.68
2. 미야기「겐지」P.42
3. 도쿄「후쿠베」P.112
4. 도쿄「신스케」P.140
5. 도쿄「이세토」P.154
6. 홋카이도「도쿠샤쿠산시로」P.12
7. 시즈오카「다카노」P.212
8. 도쿄「가기야」P.96
9. 도쿄「란만」P.182
10. 야마가타「구무라노 사카바」P.26
11. 도쿄「기시다야」P.126
12. 도쿄「아카쓰카」P.84
13. 도쿄「오하시」P.54
14. 도쿄「사이토 사카바」P.168
15. 가나가와「긴지」P.196

三四郎
6
萩錦
7
鍵屋
酒
8
魚料理
らんまん
9
いつでも おいしい手造りの味処
久村の酒場
酒
酒
10
岸田屋
酒
大衆酒場
11
赤津加
営業中
12
大はし
キリンビール
13
創業昭和三年
大衆 斎藤 酒場
14
ぎんじ
酒
場
ぎんじ
15

菊正宗
赤津加
赤津加
営業中

6 JAPAN HERITAGE OF IZAKAYA

아카쓰카 赤津加

도쿄 간다의 세련되고 멋진 가게

도쿄도 지요다구 소토칸다

시끌벅적한 아키하바라의 번잡함의 끝
옛 번화가에 고즈넉하게 자리 잡은
흰 벽의 목조 2층 술집. 작은 현관문을 열면
가게를 지탱하는 대들보에
검은 조약돌로 마감한 바닥이 윤기 넘치는
아우라를 뿜어낸다.
술은 「기쿠마사무네」 한 종류로
때로는 시끌벅적하게,
때로는 조용히 즐기는 에도 사람들의 멋.

도심의 번잡함을 벗어난 끝에 나타난 당당한 간다의 기개

아키하바라는 번잡한 전자 상가와 메이드 카페가 즐비한 동네다. 그 불안정한 구석에 구로베〔검게 칠해진 판자로 만든 담〕로 둘러싸인 흰 벽의 목조 2층 건물은 옛 요리집의 품격을 지닌 채 갑자기 모습을 드러낸다.

대로변의 2층 흰 벽에는 〈2층·대중 일본요리·아카쓰카〉라는 글자가 도드라져 있다. 1층에는 작은 차양이 달린 검은 상자형 케이스 안에, 메뉴가 적힌 세로형 표찰들이 줄지어 걸려 있다. 그곳에서 좁은 골목으로 꺾어 들어가면, 검은 담장의 붉은 동백나무 뒤쪽, 지붕 위로 「기쿠마사무네(菊正宗)」라 새긴 커다란 현판이 위엄 있게 자리하고, 그 앞 왼편에 작은 입구가 보인다. 넓은 대로가 아닌 샛길에 숨어있는 듯한 입구는 세련되면서도 일부러 사람들의 시선을 피하려는 분위기를 풍긴다.

아키하바라의 문화를 상징하는 메이드 카페와 역사가 깊은 노포 술집이 인접한 대비가 흥미롭다.

처음 방문한 사람은 작은 출입문을 열자마자 "아!"라는 감탄을 내뱉을지도 모른다.

정면에는 작은 ㄷ자형 카운터가 있고, 왼쪽에는 탁자 몇 개, 그 옆에는 커다란 미닫이창이 있는 좌식이 있다. 감탄을 자아내는 것은 바로 그 정교한 건축에 있다.

카운터 오른쪽 모서리에는 천장 대들보를 받치며, 마치 뿌리를 내린 듯 서 있는 구불구불하고 혹투성이의 천연 통나무 기둥이 있다. 오랜 세월 닳아 반들거리는 그 표면은, 이 집의 중심을 이루는 가장 굵은 기둥임을 말해 준다. 왼쪽 구석은 그와 대칭을 이루듯 또 다른 기이한 형태의 둥근 기둥이 카운터 모서리로 파고들고 있다. 또한 좌석 구석에도 또 하나의 기둥이 서 있는데 이 구불거림에 맞춰 벽을 칠하는 일은 미장이에게는 어려운 일이었겠지만, 아마도 재미있었을 것이다.

곧게 뻗은 각기둥이 아니라 옹이 투성이인 천연 통나무를 사용한 것은 모든 것에 개성을 고집하는 에도 사람의 취향일까? 재료인 단풍나무는 자라는데 시간이 오래 걸리며 그만큼 단단하고 구부러짐과 옹이가 많아 바닥 기둥 등에 자주 사용되는 명목이다.

바닥 전체는 구석구석까지 검은 조약돌로 마감되어 있으며 표면은 완전히 마모되어 평평하게 빛난다. 이렇게 품격 있는 바닥은 본 적이 없다. 왼쪽의 4인용 테이블 5개는 사람들의 눈을 피하듯 각각 칸막이로 나뉘어 있고, 원목 기둥과 테이블은 모두 바닥에 단단히 고정되어 있다. 천장은 갈대발을 얇은 가로대를 사용해 가볍게 꾸며 놓았다.

가게 안에는 여러 개의 단풍나무 둥근 기둥이 천장에 관통해 있다. 힘차게 굽이치는 모습이 압권이다. 기둥의 낡은 스위치는 옛날에 사용하던 냉방 장치의 스위치다. 바닥의 검은 조약돌과 천장의 갈대발이 대비를 이루며 멋스럽다.

그 공간이 내뿜고 있는 윤기어린 진한 아우라는 다도인들의 다실인 스키야〔자연과의 조화를 특징으로 한 건축 양식〕의 세련됨도 아니고, 은근한 멋을 풍기는 다실 역시 아니며 시골집의 소박함도 아닌 도쿄 간다의 세련되고 멋진 기개다.

곳곳에 엿보이는 역사의 발자취

아키하바라가 지금처럼 되기 전 이 일대는 유곽이었으며 이 건물은 쇼와 27년(1952) 마치아이〔근대 일본의 유곽·화류가에서 사용되던 접객 공간〕로 만들어졌으나 2년 후 마치아이가 간다 묘진 경내 옆으로 이전하게 되어 비게 되었고, 그 후 아카쓰카 야스요 씨가 「아카쓰카」라는 이름으로 이자카야를 시작했다. 건물은 그대로 사용되었으며 미묘하게 사람들 눈에 띄지 않게 술을 마실 수 있는 구조는 마치아이를 오가던 남녀의 미묘한 감정을 아는 옛 목수가 세심하게 설계한 덕분일 것이다.

고세이, 가쿠스케, 데이기, 이세소, 만사쿠 등 천정 아래 줄지어 있는 60여 개의 멋진 검은 옻칠 명판은 야차바와 간다 청과물 시장 도매업자들이 남긴 것이다. 시장은 헤이세이 원년(1989) 오타구로 이전했으나 지금도 시장 관련 손님들이 자주 찾는다. 아침 일찍 일을 마친 후 혼자 오면 카운터에서 마시고, 가끔 여성과 동행하면 테이블 자리에서 마시고, 연회는 좌식이나 2층 큰 다다미방에서 한다.

이 집의 술은 개업 이래 줄곧 「기쿠마사무네」 한 가지만을 고집해 왔다. 메이지 시대의 삼대 명필 가운데 한 사람인 나카바야시 고치쿠의 글씨를 전각한 기쿠마사무네의 현판이 안팎으로 세 장 걸려 있다. 카운터 정면의 현판에는 국화 문양 위에 '정종(正宗)'을 겹쳐 새기고 '특약점 아카쓰카'라는 글자가 들어가 있다. 이 집 2층에서 열린 창업 50주년 연회에 초대받았을 때, 내 옆자리가 기쿠마사무네 도쿄 지사장이었다. 그 무렵 2층 다다미방은 약간 기울어 있었고, 여주인 아카쓰카 준코 씨는 "다시 짓는 편이 더 싸게 들 텐데요" 하고 말하곤 했지만, 이후 대대적인 수리를 거쳐 지

금은 다다미방에 의자석이 놓여 있다.

이자카야를 시작한 야스요 씨는 3년 만에 요절했고, 뒤를 이은 언니 준코 씨는 그전까지 평범한 주부로, 손님을 상대하는 장사는 생각조차 해본 적이 없어 인사도 서툴렀으며, 2년쯤 지나서야 비로소 자리를 잡았다고 했다. 나는 그 물장사 냄새가 나지 않는 풋풋함이 좋아 자주 이 집을 찾았다. 몇 해 전, 99세로 세상을 떠났고 지금은 손자 미쓰오 씨가 가게를 잇고 있다. 아름답다고 소문났던 그 어머니의 사진 뒤편에 '축 어머니 90세 / 헤이세이 26년 / 오타 가즈히코'라고 적힌 색지〔色紙, 일본에서 축하·기념·헌사를 위해 쓰는 정사각형 종이〕가 놓여 있는 것이 반갑다. 미쓰오 씨는 가게가 이대로 계속될 수 있도록 3년 전 공사를 보수하여 만전을 기울였다.

나는 항상 카운터석에 앉지만 테이블석에 앉아 가게 안을 바라보는 것도 아주 좋아한다. 이곳에서 여성과 단둘이 살짝 숨어서 마시기도 한다. 술을 리필하려면 카운터에 빈 술병을 올리기만 하면 된다. 북적임 속에 있고 싶은 듯하면서도, 어딘가 숨고 싶은 듯한 이 미묘한 안온함은 에도 사람의 기질에 꼭 맞는다. 술은 '이키'하게 마셔야 한다. 〔이키(粋): 에도 문화의 미의식. 요란하지 않고 집착하지 않으며, 분위기와 타인을 헤아릴 줄 아는 태도를 말한다. 여기서는 술을 마시는 자세와 마음가짐을 가리킨다.〕

또 다른 숨을 곳은 다다미방이다. 다다미 세 장 정도의 바닥 한가운데 테이블이 놓여 있고, 바닥이 파여 있어서 발을 내리고 앉을 수 있다. 벽 모서리에 구불구불한 기둥이 에로틱한 곡선으로 연결되어 있는 것도 재미있고, 미닫이창에 학과 거북 목각이 붙어 있는 것이 멋스럽다. 헤이세

카운터 오른쪽, 이것이 바로 대들보. 안쪽에 오토리사마 구마데〔신사에서 파는, 복을 긁어모은다는 복 갈퀴. 대나무 갈퀴에 종이 돈·여자의 탈 따위가 달려 있다〕. 오른쪽은 주방.

이 14년(2002), 잡지의 이자카야 특집으로 평론가 가와모토 사부로 씨와 작가 가와카미 히로미 씨의 대담이 기획되었을 때, 초면이던 두 사람을 이어 달라는 부탁을 받은 나는 장소로 이 작은 다다미방을 지정했다. 대담을 마치고 닫아 두었던 쇼지 문을 열어 시끌벅적하게 술 마시는 가게와 하나가 되었을 때의 그 해방감에 무척이나 기뻐들 했다.

계속해서 이어지는 에도 사람들의 취향

자, 이제 마셔보자. 대중 주점의 큰 ㄷ자형 카운터와는 달리 서너 자리 정도 되는 이곳은 서로 얼굴을 아는 단골들이 앉기에 적당하다. 30대 때부터 다니기 시작해서 지금 81살인 단골손님도 있다고 한다.

모서리가 둥글게 닳은 정이치고(正一合, 약 180ml) 나무잔으로 술의 양을 정확히 잰 뒤 도쿠리에 담아, 여섯 구멍짜리 오

칸기로 데운 다음 옛 방식 그대로 하카마〔袴, 도쿠리 아래에 씌우는 천 덮개. 본래는 의복 용어이지만, 사케를 따뜻하게 유지하기위해 사용〕를 두른 채 내놓는다. 지금 일본에는 명주가 얼마든지 있고, 나 또한 까다로운 편이나 모든 것을 고려한 「기쿠마사무네」의 적절한 온도는 역시 입에 착착 감기는 맛이 있다.

항상 주문하는 〈붕장어 소금구이〉는 에도 스타일이다. 담백한 된장 맛의 〈도리 모쓰니코미〉는 닭 내장을 된장으로 졸인 이자카야의 스테디셀러다. 군더더기 없는 맛 덕분에 에도족이나 간다족의 입맛에 잘 맞는다. 큼직한 〈다시마키 다마고〉는 육수가 살아 있어, 둘이 나눠 먹기에 부담이 없다.

가게 정면에는 새로 단 새끼줄 장식과 사카키 가지로 정갈하게 꾸민 간다 묘진의 신단이 자리하고 있다. 또 하나 눈길을 끄는 것은, 주방이 보이는 오른쪽 안쪽에 푸른 대나무 줄기째 묶어 매달아 둔 오토리사마〔장사 번창을 비는 신〕의 행운 갈퀴 장식이다.

매년 연말이 되면 단골들의 대화는 "올해도 슬슬 다가오네. 11월엔 도리노이치〔닭날에 열리는 전통 시장〕가 세 번이나 열린다네."라고 시작된다. 아사쿠사 오토리 진자의 큰 갈퀴를 가게로 옮기는 일은 매년 이어지는 전통이다. 단골들은 박수로 맞이하며 축의금을 나무젓가락에 끼워 갈퀴에 꽂는다(최대 천 엔). 가게는 손님들에게 작은 장식용 갈퀴를 나누어 준다.

"에도 사람이었군요."

"간다에서 태어났어요."

이곳 이자카야에서 술을 마시다 보면 그 지역의 신령스러운 기운 같은 것이 큰 의미로 다가온다. 그곳에 가지 않으면 느낄 수 없는 공기를 이곳만큼 남겨놓은 이자카야는 없다. 그것을 전달할 가치가 있다. 유형 문화재 등록이 필요하다.

호화스러운 기질. 단골손님이 젓가락에 끼워 넣는 축의금은 천 엔까지다.

五つの心
一 ありがとうございますと言う感謝の心
一 はいと云う素直な心

OUTLINE
점포개요

FOUNDED | 창업

1954년에 창업. 옛날에는 주변 지역이 유곽이었다고 하며 건물 자체는 손님과 게이샤에게 자리를 빌려주는 마치아이로 지어졌다. 올해로 68년의 역사를 자랑하며 전자제품 가게, 메이드 카페 등이 즐비한 가운데 유일하게 변함없는 운치를 지켜오고 있는 이자카야다.

HISTORY | 역사

3년 전에 한 번 보수 공사를 했다. 현재의 주인이며 3대째인 데라다니 미쓰오 씨가 초등학생 때는 주방에 인접한 작은 방 뒤쪽이 목욕탕이었다고 한다. 공사를 하기 전에는 건물이 기울어져 있어 과감하게 대공사를 실시했다.

❶ 간판

검은색 담벽에 핀 동백꽃 뒤쪽 지붕에 「기쿠마사무네」라고 새겨진 커다란 현판이 걸려있다. 밤에는 조명이 켜져 있어 오래된 이자카야의 품격을 느낄 수 있다.

❷ 입구

입구는 넓은 내토번이 아닌 골목에 숨어 있는 듯한 위치에 있다. 아카쓰카라고 적힌 감색 포렴에 하얗게 빛나는 간판이 눈에 띈다.

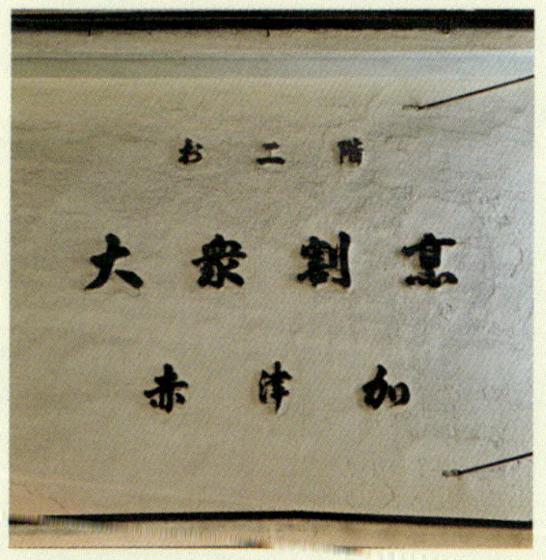

❸ 흰 벽

2층 흰 벽에는 〈2층·대중 일본 요리 아카쓰카〉라는 글자가 도드라져 있다. 전자상가이기도 한 아키하바라에 품격 있는 건물이 우뚝 서 있다.

❹ 메뉴

거리에 면한 흰 벽에는 메뉴판도 붙어 있다. 인기 메뉴인 「도리 모쓰니고미」, 「나시미키 다마고」 등 수많은 요리 이름이 적혀 있다.

CUSTOMER | 고객층

순수하게 술을 마시려는 손님뿐만 아니라 아카쓰카가 가진 분위기를 맛보러 오는 손님도 많다. 아키하바라라는 지역적 특성도 있어서 주말이 되면 젊은이들뿐만 아니라 일본을 방문한 외국인들의 모습도 많이 보인다. 수십 년 만에 방문한 손님에게 변함없다는 말을 들을 수 있는 가게를 만들기 위해 노력하고 있다.

FILE

창업	쇼와 29(1954)년
지역	도쿄도 지요다구
창업 시 형태	대중요리
구조	흰 벽의 목조 2층 건물
점주	데라다니 미쓰오(3대째)

장인의 세련된 솜씨가 돋보인다

카운터 왼쪽의 다다미방, 미닫이 창문에 달린 학, 거북이 장식이 멋지다. 위는 단골손님이 가져온 액자. 프로스모 선수 미에노우미, 기타노우미, 와지마, 다카노하나와 스모 심판인 시키모리 이노스케.

검은 옻칠을 한 간다 야차바 도매업자들의 명찰.

작은 다다미방 모퉁이의 뿌리가 자란 듯한 기둥.

그 기둥의 다다미방 쪽은 미장이 장인의 솜씨를 발휘한 곳이었을 것이다. 학창시절의 친구나 스승을 만날 때 또는 작가와의 대담을 하기 위해 모일 때 이곳에서 술을 마시면 최고다. 술을 마시고 문을 열면 가게 안이 한눈에 들어온다.

매번 그렇듯 술과 요리에 취한다

술은 6구로 된 칸쓰케 기구에서 정성스럽게 데운다.

〈붕장어 소금구이〉 구운 정도가 훌륭하다.

〈다시마키 다마고〉가 볼륨이 있다.

〈도리 모쓰니코미〉는 담백하면서도 감칠맛이 있다.

〈잔 새우 가키아게〉 이것이야말로 멋진 안주. 튀김을 해주는 곳은 많지 않다.

DATA 아카쓰카	도쿄도 지요다구 소토칸다 1-10-2 / 03-3251-2585 / 17:00~22:00 토요일(17:00~21:30), 일, 공휴일, 제1, 3, 5 토요일 휴무

鍵屋
鍵屋
酒
6-23-18

7

가기야 鍵屋

네기시 마을의
소박한 정취가 있는 곳

도쿄도 다이토쿠 네기시

유서 깊은 이자카야의 가게 이름.
사카야 구석에서 시작된 가기야는
문화와 예술을 사랑하고 뛰어난
미적 감각을 가진 5대째의 노력으로
수많은 문인과 예술인들에게
사랑받고 지켜져 왔다.
쇼와 초기에 시작되어 현재의
레이와 시대까지 여성 혼자서는
들어갈 수 없다는 단호한 자세를
여전히 고수하며 전쟁 전 도쿄의 멋을
간직하고 있다.

에도시대의 가기야라는 술 도매상이 있었던 것에서 유래한 가게 이름, 「가기야」 간판이 가게 입구에 자리 잡고 있다.

포렴에는 「술(酒)」과 「가기야(鍵屋)」라는 글자가 걸려 있다. 이야말로 이자카야 유산이라 부를 만한 가게의 풍모다.

네기시에 있는 「가기야」는 막부 말기인 안세이 3년(1856), 도도 다카토라의 후손들이 에도로 올라올 때 원래 사용하던 상호 '가기야'를 그대로 쓴 데서 비롯되었다. 이 일대 우에노는 야담과 영화로 유명한 아라기 마타에몬의 「가기야 길에서의 결투」로 널리 알려져 있으며, 그 때문에 '가기야'라는 상호가 여러 곳에서 사용되었다. 도도 가문의 에도 저택 주변 역시 그 이름을 따 「가기야 요코초」라 불렸고, 지금도 문구점 「가기야 하시모토 상점」에 그 흔적이 남아 있다.

대대로 사카야〔술을 파는 가게〕를 운영하며 쇼와 초기에 가게 구석에서 한잔씩 마시게 하다가 5대째인 시미즈 고타로가 본격적인 이자카야로 바꾸었다. 에도 시대의 집에서 술을 마실 수 있다는 점에서 문인과 예술인들에게 사랑받게 되었다.

취미와 예술을 사랑하고 학자적인 성향을 가진 고타로는 "이자카야라고 해서 이자카야답게 꾸밀 필요도 없어요(예: 한텐을 입는다든지)."라며 일반적인 흰 와이셔츠를 입어도 괜찮다고 말했고 일본 가면극 노와 시창작을 즐겨했고, 많은 문인들과 동등하게 대화를 나눴다. 기노시타 준지, 나가이 가후, 다니자키 준이치로, 다카하시 요시타카 등이 단골이었다. 현재 주인이자 7대째인 센디로는 어린 시절, 단골이던 나가이 가후의 각별한 사랑을 받으며 자랐다. 가후에 대해 "늘 아름다운 여인을 곁에 두고 다니던 사람"이라 회상한 이는 아사쿠사의 무희였던가. 다니자키 준이치로는 겐타로를 만나면 작품 이야기가 아니라 학교 생활은 어떤지 묻곤 했다고 한다. 야마구치 히토미가 술을 마시러 왔을 때 경마로 돈이 없다고 하자 경찰에 넘겼고, 나중에 그가 작가라는 것을 알게 되었다는 일화도 있다. 우에노 등에서 공연을 마친 예술인이 그 동네를 피해 이곳에 앉아 조용히 술잔을 기울인 것은 그렇게 할 수 있는 안도감이 있었기 때문일 것이다.

시미즈 고타로는 낚시와 어류 탁본의 세계에서는 유명하며 시미즈 유타카라는 필명으로 쓴 『즐거운 어류 탁본 기법』은 후에 보급판도 나온 명저로 「서문」은 부드러운 문체임에도 불구하고 군더더기 없이 정확한 문장력을 보여준다. 「물고기자리에서, 저자 기록」으로 끝을 맺는다. 그가 만든 어류 탁본 작품 100점 이상은 사카타의 혼마

낚시와 어획에 조예가 깊은 5대째 시미즈 고타로 씨가 시미즈 유타카라는 필명으로 쓴 『즐거운 어류 탁본 기법』.

두꺼운 카운터 곁에 다다미방이 있고, 그 끝에 기둥이 있고 알전구와 미인화 포스터가 있으며 이름이 새겨진 도쿠리, 그리고 빼놓을 수 없는 백합꽃. 이보다 더 세련된 풍경은 없다.

미술관에 보관되어 있다고 한다.

전후 20년이 지난 쇼와 43년(1968) 고토토이 거리가 확장되면서 가게의 존속이 걱정되었다. 단골이었던 일본 문학자 에드워드 사이덴스티커는 「이 나라는 인간보다 차가 더 훌륭한가」라고 아사히 신문에 투고했고, 당시 근처에 살던 젊은 아사히 신문 기자이자 또 다른 단골인 호소카와 모리히로가 그 기사를 작성했다. 그 기사를 계기로 에도 시대의 건물은 고가네이의 「에도 도쿄 건물 공원」에 이축 보존되었다.

이후 이전지가 고토토이 거리에서 한 골목 들어간 춤 스승이 살던 다이쇼 시대의 2층 집으로 결정되자 전우였던 대목장에게 이자카야로 변환하는 공사를 부탁하고 좋은 나무를 사용하여 자신이 이상적으로 생각하는 가게를 만들었다.

견고한 디자인과 소재로 둘러싸여 조용히 한 잔을 즐긴다.

동백나무가 서있는 검게 칠해진 판자로 만든 담장이 양옆을 감싼 입구에 들어서면 1층 안쪽이 보인다. 작은 주방과 2층 집으로 올라가는 계단을 남겨두고 앞쪽을 가게로 만들었다. 바닥은 노면 전차 포석과 같은 크고 거친 돌을 깔고, 둥근 돌멩이를 하나씩 악센트로 채우고, 둘러싸고 있는 포석은 둥글게 파내었다. 두 그루의 단풍나무를 반으로 자른 20센티미터가 넘는 두께의 중후한 카운터는 나무결을 그대로 드러냈다. 그 아래는 오야이시라 불리는 돌을 받쳐, 장식 금속이 달린 긴 궤처럼 차곡차곡 쌓아 올렸다. 모서리에는 옹이가 많은 통나무를 세우고 가죽을 씌운 네모난 상자형 의자 여덟 개를 늘어놓았다. 뒤쪽의 거주 공간

카운터 맞은편에 있는 다다미방이다. 이곳에서 가게 전체의 구조를 감상하는 것도 하나의 즐거움이다.

과 구분하기 위해 세운 유난히 굵은 배롱나무 각기둥은 원래는 울퉁불퉁한 옹이를 다듬어 다다미방 정면 기둥으로 쓰이는 귀한 목재다.

카운터 맞은편은 다다미방으로, 앞쪽의 단 높인 공간에는 네 장의 다다미가 깔려 있다. 둘러싼 고시카베〔바닥부터 허리 높이까지 마감한 벽〕는 한 장으로 이어지고, 흙벽으로 넘어가는 모서리는 못 하나 쓰지 않고 삼각형으로 짜 맞춰 단단히 고정했다. 삼나무 판사 격자로 짠 천장에는 모서리마다 끼맞춤의 기법이 드러나고, 격자 판자에는 섬세한 줄무늬가 새겨져 있다. 전체적인 인상은 관동 목수의 견고하고 투박한 기본을 바탕으로 곳곳에 에도의 멋을 담은 화려함이 드러난다. 다다미방에는 가정에서 흔히 사용하던 테이블이 불규칙하게 네 개 놓여 있고 모서리에는 방석이 겹쳐 있다.

새롭게 문을 열며 시미즈 고타로는 가게 이름이 적힌 갈고리에 「술집 네기시」라고 적힌 남색 손수건과 성냥을 디자인했고, 가게 앞에 설어놓을 흰색 포렴에는 「鍵屋(가기야)」라는 두 글자를 먹으로 써서 정갈한 멋과 의욕을 표현했다. 그리고 그동안 수집한 골동품, 현판, 옛 간판, 술 포스터 등을 가게 안 구석구석에 장식했다.

검은 옻칠의 세로형 대형 간판에는 궁내성에 술을 납품하던 베이지야가 취급한 기린맥주를 가기야 주점이 대량으로 판매했다는 문구, 그리고 셋쓰·나다 니시고 지역의 와카바야시 합명회사가 빚은 긴조 명주 「추유(忠勇」'를 병입해 도쿄에서는 미나미신보리 마키하라 상점이 전매했다는

무사 집안에 술을 배달했다는 가문 문양이 새겨진 술통. 5대째가 디자인한 성냥이 멋지다.

내용이 적혀 있다.

한 장의 통판에 새긴 부조 현판에는 시모사국 조시·나가레야마의 양조업자 이와사키 주타로가 만든 '최상(最上)' 간장을, 시미즈 상점이 정식으로 판매했다는 내용과 함께, 그 간장이 '맛이 짙고 달며, 양이 넉넉하고, 통까지 튼튼해 네 가지 덕을 모두 갖추었다'는 찬사가 적혀 있다. 또 다른 청주 가격표에는 가장 높은 등급의 술은 한 되에 1엔 30전, 가장 낮은 6등급 술은 한 되에 70전으로, 당시 술값이 등급별로 나뉘어 있었음을 알 수 있다.

다다미방 란마에 장식된 한텐 모양의 납작한 검은 옻칠을 한 상자는 「소데다루」라고 불리며 무가에 새 술이나 축하 술을 보낼 때는 이 집의 가문 문장이 찍힌 전용 술통을 사용해, 두 통을 멜대에 걸어 메고 직접 납품했다고 한다. 아래에는 손님이 술을 사 가며 빌려 갔다가 다시 돌려주던 커다란 도쿠리와 가게에서 사용하는 도쿠리, 잔, 작은 접시들이 줄지어 놓여 있다.

카운터 정면의 가부토 비어 포스터는 당시 이름을 날리던 기생 '만류(万龍)'를 모델로 삼아, 투구를 손에 든 모습으로 그려졌다. 계산대 격자 위에 걸린, 가늘고 세로로 긴 다카라 소주 포스터— 등을 보인 양복 차림의 손님을 향해 모던한 머리 모양의 기모노 미인이 미소 짓는 그림은 내가 특히 아끼는 작품이다. 다다미방 안쪽에는 계절에 맞춰 두 달에 한 번씩 바꾸는, 액자에 넣은 대형 미인도 명주 포스터가 걸리는데, 지금은 이미 제작사에도 남아 있지 않다는 희귀한 것들뿐이다. 그래픽 디자인을 전공한 나로서는, 당시의 인쇄 수준이 얼마나 높았는지, 그리고 종이임에도 보존 상태가 얼마나 뛰어난지가 여실히 느껴진다. 구석구석까지 5대째 시미즈 고타로의 미학이 철저히 적용된 가게 내부는 타의 추종을 불허한다.

술은 3병까지. 여성만의 입장은 불가

그럼 어떻게 마실까.

술은 봄과 가을의 궁중 연회에서 사용하는 「사쿠라 마사무네」, 「기쿠 마사무네」와 「오제키」 세 가지 종류다. 「오제키」는 스모 선수의 지위 중 하나로 요코즈나에 버금가는 지위 이름이기도 한데 술 이름이 「오제키」인 것은 일본인들이 스모를 좋아하기 때문이라고 한다.

그 술을 데우는 방법으로 선대부터 사용해 온 6구짜리 구리제 칸쓰케 장치를 자유자재로 다루는 겐타로 씨의 손놀림은 훌륭하다. 주문 두 번째 병부터는 조금 더 뜨겁게 하는 것이 요령이라고 한다. 도쿠리는 키가 크고 날씬한 전형적인 관동 도쿠리, 술잔은 뱀 눈 무늬다. 자리에 앉으면 나오는 안주는 예전부터 그대로인 두부 만들 때 쓰는 삶은 콩인 〈미소마메〉다. 예전에 미식가로 유명했던 배우 와타나베 후미오 씨와 함께 갔을 때 간다에서 태어난 와타나베 씨는 낮에 "미소마메~" 를 파는 노점상이 걸어 다녔다고 추억했다.

작은 판에 적힌 안주 17종은 예전부터 변함없이 그대로다. 둥글게 말아 구운 〈다타미이와시〔멸치의 치어를 김처럼 얇게 펴서 건조시킨 포〕〉. 발처럼 엮은 판에 놓인 두부 위에 생강과 차조기잎이 살짝 얹어진 〈히야얏코(냉 두부)〉. 〈다이콘오로시〔무를 갈아서 낸 것〕〉라고만 적혀 있는 것은 노송나무 강판으로 거칠게 간 무에 성어리 치어가 얹혀 있다. 어린 장어「붕장어」한 마리를 꼬치에 끼운 〈우나기구리 카라야키〉는 승천하는 용처럼 보인다고 해서 붙여진 이름이다. 마지막에 〈유도후〔다시마 육수에 두부를 데서 간장에 찍어 먹는 요리〕, 니코고리, 가을·겨울 한정〉이라고 적힌 〈니코고리〉는 상어가 젤라틴으로 듬뿍 들어가서 맛이 비교할 수 없이 뛰어나다. 두부 양념인 다진 파가 듬뿍 들어있는 통이 있고, 산초, 시치미, 간장, 이쑤시개가 들어있는 나무상자는 모두 오래 사용해서 모서리가 둥글어졌다.

나는 젊었을 때 한번 친구가 끌고 가서 이사 전의 가게에 들어간 적이 있다. 하얀 와이셔츠를 입은 5대째 주인을 기억한다. 이사 후 처음으로 혼자 갔을 때는 고인이 된 고타로 씨의 아내가 6대째 주인으로 서 있었다. 가게에 걸린 마구의 등자에 항상 백합을 장식하는 것은 남자가 타는 말(남자의 일터)에 여성인 자신이 타겠다는 결심이었을까? "여성만 입장하는 건 정말로 거절인가요?"라고 물었더니 "여자끼리 술을 마시면 이상하지 않나요? 남자에게 데리고 오게 해야죠."라고 대답했다. 한번은 외국인 여성 손님을 거절하지 못하고 있을 때 마침 온 단골 외교관이 "이 가게의 규칙입니다."라고 설득한 적도 있다. 내가 여성에게 "가기야로 안내할까요?"라고 하면 항상 기뻐하며 그때만 인기가 많다. 여성들은

깔끔함 그 자체인 〈히야얏코〉. 아래는 기본 안주 〈미소마메〉, 〈우나기구리 카라야키〉, 〈사라시쿠지라〉, 〈다타미이와시〉.

빨간 천을 두른 머리가 트레이드마크인 그녀는, 7대째인 겐타로 씨와 함께 가게 '가기야'의 전통을 지켜가고 있다.

한결같이 가게 안을 찬찬히 둘러보며 "남자들의 세계네..."라는 표정을 짓는다.

그 어머니가 돌아가시자 서양요리를 하던 겐타로 씨가 7대째 주인으로 가게에 서게 되었다. 술은 한 사람당 3병까지, 여성은 카운터에 앉을 수 없다는 등의 엄격했던 아버지와는 달리 태평한 겐타로 씨는 손님에게 사랑을 받았는데, 아사가오시장에서 산 화분을 나다의 양조장에 항상 선물할 정도로 멋을 지녔다.

시아버지를 본받아 온 아내는 가기야의 전통을 자랑스럽게 여기며 신중하게 가게를 지원하고 머리에 빨간 천을 두른 것이 트레이드마크이며 술안주는 반드시 앉아서 내어주고, 손님이 올 때는 작은 목소리로 맞이해도 배웅할 때는 반드시 "감사합니다."라고 손을 앞으로 모아 인사했다. 나는 40년을 계속 다니고 있는데 요즘은 카운터는 단골손님이나 처음 오는 손님에게 양보하고, 다다미방 구석에서 내 집처럼 앉아서 술을 마신다.

도쿄에서 가장 좋아하는 계절은 나무가 시들기 시작하는 초겨울이다. 해가 일찍 저물어가는 저녁에 이곳에서 마시는 따뜻한 술 한 잔이 좋다. 전쟁 전의 도쿄와 다를 바 없는 방식으로 술을 마실 수 있는 것이 가기야의 최고 가치다. 언제부터인가 한 해의 마무리를 이곳에서 하게 되었다.

근처의 네기시 지역은 에도 시대부터 〈네기시 마을의 와비스마이(侘び住まい)〔에도 시대의 미의식인 와비(侘び)에서 나온 말로, 화려함과 번잡함을 피하고 소박하고 고요한 삶의 자리를 택하는 태도를 뜻한다〕〉라 불리며 많은 문인과 서예가들이 좋아했다. 「가기야」는 그 풍류를 전하고 있다고 생각한다.

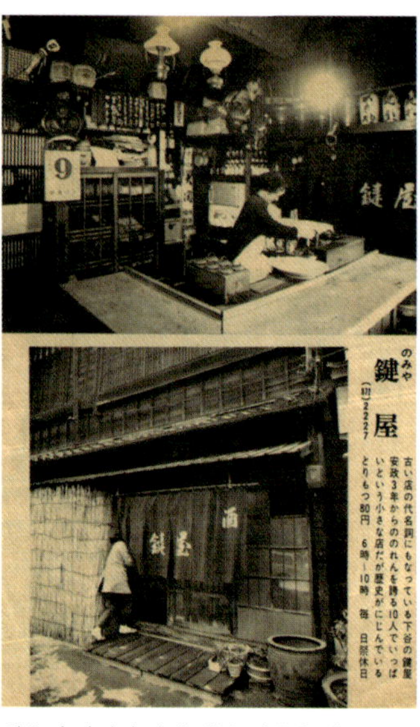
のみや
鍵屋
(旧)2227
古い店の代名詞にもなっている下谷の鍵屋 安政3年からののれんを誇る10人でいっぱいという小さな店だが歴史がにじんでいる とりもつ80円 6時～10時 毎日祭休日

최초의 가기야 가게 내부. 지금은 에도 도쿄 건축물 공원에 있다. 미니 컬러 문고 2『이자카야』도쿄 산책에 실린 옛 가기야 가게.

OUTLINE
점포개요

FOUNDED | 창업

안세이 3년(1856) 막부 말기에 이자카야 「가기야」를 창업. 마구간 직원이 말에게 물을 주러 온 손님에게 서서 마시는 술을 주기 시작한 것이 발전하여 이자카야가 되었다. 7대째인 시미즈 겐타로 씨가 가게를 물려받은 것은 26년 전이다. 요리, 접객 모두 진심을 다한다는 가치관은 창업 때부터 변함없다.

HISTORY | 역사

도도 다카토라의 자손이 에도로 이주하여 우구이스다니 지역에서 이자카야의 역사가 시작되었다. 막부 말기 당시 인근의 상점들은 모두 「가기야」라는 상점을 가지고 있었고, 에도에는 「가기야 요코초」라고 불리는 지역도 있었다. 지금은 이곳과 「가기야 하시모토 상점」만 현존하고 있다.

CUSTOMER | 고객층

다니자키 준이치로, 나가이 가후와 같은 문호들과 극작가 기노시타 준지, 평론가 다카하시 요시타카 등도 여러 번 방문했다. 또한 가기야에는 「여성은 남성이 동반하지 않으면 입점할 수 없다」는 규칙이 있다. 이 규칙은 선대의 「이자카야는 남자들이 느긋하게 쉴 수 있는 곳」이라는 생각을 이어받은 것이다.

FILE

창업	안세이 3(1856)년
지역	도쿄도 다이토구
창업 시 형태	이자카야
구조	목조 2층 건물
점주	시미즈 겐타로(7대째)

❶ 2층 건물

다이쇼 시대에 지어진 2층 가옥은 과거 일본 춤 스승이 살았던 곳이다. 선대의 친구였던 대목장이 명목을 사용하여 가게를 완성했다.

❷ 가게 이름

가기야의 역사는 에도시대까지 거슬러 올라간다. 당시 가기야의 상호는 많이 볼 수 있었는데 현재도 그 상호를 유지하고 있는 곳은 이곳과 문구점인 「가기야 상점」 두 곳뿐이다. 「가기야」라고 적힌 쪽 염색한 포렴이 걸려 있다.

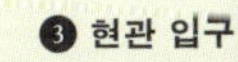

❸ 현관 입구

개점 시에는 출입구 앞에 끼워진 검게 칠해진 판자로 만든 담장이 열린다. 현관 왼쪽에는 동백나무가 심어져 있어 가게의 중후함을 느끼게 한다.

선대의 친구였던 대목장이 작업한 실내 장식。

현관에서 본 다다미방. 튼튼하고 세련된 관동 목수의 일솜씨.

계절마다 바뀌는 미인화 포스터가 기다려진다.

바닥에 깐 납작한 돌 옆에 일부러 둥근 맷돌 뚜껑을 깔아 놓았다.

선대로부터 물려받은 가게의 조연들

작업장 뒤편에는 술통의 나무 마개와 술통을 따는 도구, 도쿠리, 등자에 꽂은 흰 백합 등이 장식되어 있다.

이곳에서는 '도코(どう壺)'라 불리는 여섯 구멍짜리 칸쓰케 장치를 사용하며, 두 번째 주문부터는 온도를 조금 더 높이는 것이 가기야식 고집이다.

다다미방에 여러 병의 도쿠리를 운반할 때는 나무 바구니에 담아 전달한다.

메뉴는 기본적으로 선대가 고안한 그대로다. 가을과 겨울에는 유두후, 니코고리가 추가된다.

DATA 가기야	도쿄도 다이토구 네기시 3-6-23-18 / 03-3872-2227 / 17:00~21:00 / 일·공휴일 정기 휴일

TO BEER

菊正宗
通人の酒席
ふくべ
ふくべ
4-5
全国有名特選酒専門
通人の酒席
ふくべ

후쿠베 ふくべ

도쿄도 주오구 야에스

도쿄역 앞의 향수를 자극하는 술집

도쿄역 야에스 출구
누구나 발걸음을 재촉하며 지나가는
빌딩 거리 한복판에 홀로 서 있는
술꾼들의 술집. 역사를 느낄 수 있는
가게 안에는 전국 각지의 술들이
진열되어 있고, 옆자리에 앉은 손님들끼리
서로 마음을 열며 고향의 술을
깊이 음미한다. 선대가 남긴 가게와
도구, 준비된 술은 소중히 계승되어
그 마음은 고스란히 전해지고 있다.

개발이 진행되는 거리·야에스에 마치 시간이 멈춘 듯한 분위기의 술집

도쿄역 야에스 출구는 최근 대대적으로 개조를 해서 대형 버스들이 끊임없이 들어와 마치 공항처럼 보인다. 니혼바시 일대는 고층 빌딩들이 늘어서며 풍경은 완전히 바뀌었다. 그러나 원래 있던 작은 술집 거리는 여전히 남아 있으며 니혼바시 직장인이 긴자까지 갈 필요도 없이 술 한 잔하기 위해 가볍게 들른다. 도쿄역은 어떤 지역을 간다 해도 편리하다.

현대식 오피스 빌딩들 맞은편에 마치 버려진 듯한 술집 「술의 달인·후쿠베」는 3층 철근 건물에 새끼줄 포렴이 그다지 눈에 띄지 않지만, 가게 안으로 들어서자마자 압도당한다. 그을린 갈대 천장, 호박색으로 윤기가 흐르는 고시이타〔허리 높이까지 덧댄 판자〕, 닳아버린 검은 자갈돌로 만든 바닥, 카운터 앞부분은 손님들의 팔꿈치로 닳아 하얗게 되었고, 장식된 기쿠마사무네 목재간판도 꽤 오래된 것이다. 압도적인 고색창연함에 잠시 멈춰 서서 바라볼 정도인데 그 안쪽에 쌓인 기쿠마사무네 술통은 푸른 대나무 테가 번쩍여 술꾼이라면 누구나 이 카운터에 앉고 싶게 만든다.

쇼와 14년(1939) 창업 당시에는 근처 사카야의 코너에 서서 마시던 집이었으나 전후 쇼와 21년(1946)에 현재 위치에서 이자카야를 열고 「후쿠베」라는 이름을 붙였다. 「후쿠베」는 조롱박을 뜻한다. 현재의 건물은 쇼와 39년(1964), 도쿄 올림픽이 열리던 해에 지어진 것이다.

가게를 창업한 기타지마 유키마사 씨는 야에스 지역의 상인회 회장까지 맡았으며, 여든네 살로 세상을 떠나기 전날까지도 가게에 서 있었다. 축제 때였던 걸까. 유카타 위에 걸친 곤색 한텐의 깃에 「니혼바시 야에스」라고 적힌 영정사진이, 네 되들이 술통 위에 놓여 가게를 지켜보고 있다.

카운터 안쪽에 쌓여 있는 시토다루〔큰 술통〕 위에는 선대의 사진이 걸려 있다. 옆에는 초대 사장님이 쓰던 마스〔계량 나무잔〕도 있다.

아버지가 돌아가신 후, 아들 마사오 씨가 금융기관에서 정년 퇴직을 계기로 2대째를 이어받았다. 아버지로부터 '정직하고 확실한 장사를 하라'는 말을 듣고 '아버지가 남긴 것, 고객이 남긴 것을 정직하게 이어가겠다'고 결심했다.

카운터 앞 3단 선반에는 41종의 전국 각지의 술이 한 병씩 진열되어 있어 장관을 이룬다. 이를 보고

가게에 들어서면 압도적으로 길게 뻗은 카운터가 있는데 그 앞부분은 손님들의 팔꿈치로 하얗게 닳았다.

홋카이도에서 규슈까지 41종류의 지역 술이 진열된 3단 선반. 옆자리 손님과 뜻밖의 공통점을 발견하는 것도 재미있다.

고향의 술을 주문하는 손님들이 많고, 고향 이야기가 나오기도 하고, 우연히 옆에 앉은 손님이 같은 고향 출신임을 알게 되어 반가워하는 경우도 많다고 한다. 역시 전국 철도의 기점인 도쿄역 앞의 향수를 느끼게 하는 술집이다. 나의 고향 나가노현의 술은 「마스미(真澄)」다. 특별한 술 「기쿠마사무네(菊正宗)」는 보통 일주일도 채 안 되어 4통이 비어 버린다.

오랜 역사를 느낄 수 있는 연륜이 묻어난 도구들

「아버지가 남긴 것을 이어받는다」는 것은 술을 준비하는 과정에서도 드러난다. 먼저 술을 데우는 과정을 보자.

지정된 상표의 병을 꺼내, 도쿠리에 커다란 깔때기를 꽂아 두고 마스(계량 나무잔)로 술의 양을 정확히 잰 뒤, 그 잔을 뒤집어 도쿠리에 붓는다. 이렇게 준비한 도쿠리를 열두 구멍짜리 칸쓰케 장치 가운데 하나에 담그고, 알맞은 때를 보아 손바닥으로 온도를 확인하면 완성이다. 이 '마스·깔때기·도쿠리'가 이 집에서 말하는 '세 가지 보물'이다.

목재로 된 마스는 10년 이상 사용되어 모서리가 완전히 둥글어졌는데 이것은 2대째의 것이다. 최초의 것은 계속 사용하던 선대가 돌아가셨을 때 장례식에 넣어 주려고 했으나 새것을 들이고 선대의 것은 술통 위의 영정사진 옆에 두어 계속 지켜보도록 했다.

지름이 15센티미터나 되는 구리로 된 대형 깔대기는 선대부터 사용된 것으로 창업 70주년을 기념해 손님이 축하 선물로 만들어 준 것이다. 후에 쓰바메산조에서 온 손님이 "아, 이건 내가 만든거다."라며 소리를 질렀다고 한다.

통통하고 둥근 하얀 도쿠리는 가게 이름처럼 일필로 그린 표주박 그림이 들어가 있고, 30개가 나란히 특제 나무 상자에 소중히 보관되어 있다. '세 가지 보물'을 다루는 동작은 아름답다.

카운터에는 칠엽수로 만든 개인 쟁반이 놓여 있어 손님을 기다리고 있고, 하얀 도쿠리와 술잔, 정해진 안주인 다시마 조림 세 가지가 함께 나오는데 이 모습이 좋다. 주인은 '형태가 완성된다'고 했는데 나도 저녁 술자리에서 이 습관을 따라하며 『집에서 마시는 술 대백과』라는 책에서 그럴듯하게 소개했다.

안주의 특징은 니지마에서 생산된 전갱이류를 소금물에 절인 건어물 〈쿠사야〉다. 쿠사야를 제공하는 가게가 적기 때문에 이를 찾는 단골손님들이 많다. 갓 구워낸 것을 "앗, 뜨거!" 하며 손가락으로 집어 먹는다. 냄새가 거의 나지 않아 최고다. 〈시오락교〉도 단맛만 나는 락교만 남았다고 아쉬워하는 사람에게 딱이다. 에도 앞바다라면 이 음식이 빠질 수 없다. 〈명란젓 구이〉도 의외로 이자카야에 없는 메뉴인데 이것만 있으면 좋겠다는 사람도 많다.

이상으로 내가 자주 가는 가게의 「세 가지 안주」를 소개했다. 오늘 추천받은 〈사시미 한펜〔회처럼 썰어, 생선회와 성게, 새우를 곁들여 먹는 어묵〕〉의 맛에 깜짝 놀랐다. 신뢰하는 쓰키지의 가게에서 온 것이라고 한다. 그러고 보니 요일별로 준비되는 오늘의 메뉴—월요일의 〈구운 유부튀김 폰즈 무침〉, 화요일의 〈사시미 한펜〉, 수요일의 〈매콤한 오징어 꼬치구이〉, 목요일의 〈스지 소테〉, 금·토요일의 〈오쿠쿠지 삶은 달걀〉—도 궁금해진다.

오피스 거리 속에 스며들어
지역 사람들에게 사랑받는 술집

가게는 배 바닥처럼 휘어진 천장의 정점에서 내려온 벽을 경계로, 왼편에는 지방 술을 바라보며 마실 수 있는 10석짜리 카운터, 홀에는 네 개의 테이블로 구성된 20석 자리가 있다. 그쪽 벽면을 가득 채우고 있는 것은 일본 각지의 미니 술통 장식과 현 이름이 적힌 술 브랜드 패, 그리고 사쿠라마사무네에서 만든 특대형 '일두병(一斗甕, 약 18리터)' 술병도 놓여 있는데, 이건 정말 보기 드문 희귀품이다. 큰 술잔을 손에 든 인형이 에도시대 무사의 옷을 입고 구로다부시〔후쿠오카의 민요〕를 춤추는데 아무래도 손님이 가져온 것 같다. 오래된 「니혼바시 포럼회」 액자에는 장어를 달콤한 간장 양념에 구워내는 가바야키 전문점 「가바야키 하시모토」, 「양식 베니바나」, 1947년에 창업한 튀김 전문점 「덴푸라 벤케이」, 「중국요리 친카」, 「돈까스 야지키타」, 소바집 「야부큐」, 「술집 후쿠베」, 그리고 세 곳의 초밥 가게 「스시 에이라쿠즈시」 등 니혼바시 일대의 오래된 가게 이름들이 나란히 적혀 있다.

구석의 테이블에서 서류를 보고 있는 사람은 동네 회장님으로 항상 사무실처럼 사용한다고 웃으며 말한다. 이곳이 지역 사회에 얼마나 잘 녹아들어 있는지 알 수 있다. 가파른 계단을 올라간 2층 다다미방 연회실은 두 개의 방으로 나뉘어 있다.

가게 안을 가득 채우고 있는 것은, 긴 것, 짧은 것, 뚱뚱한 것, 마른 것, 목이 구부러진 것, 곧게 뻗은 것 등 수십 개의 조롱박이다. 5, 60센티미터나 되는 특대형에는 〈후쿠베에서 끓어오르는 술, 금색〉이라고 크게 적혀 있다. 세상에는 조롱박을 좋아하는 사람들이 많아서 자연스럽게 모였다고 한다. '손님이 남기고 간 것을 소중히 한다'는 게 이유이기도 하다.

옛날 사람인 나는 마사오 씨가 과거 영화배우 나카무라 제코를 닮았다고 생각했는데 최근에는 배우 시바 토시오와 닮았다는 말을 많이 듣는다고 한다. 어쨌든 좋은 남자다.

산뜻하고 밝은 기질로 많은 단골을 만든 그였지만, 어느 날 가게에서 쓰러져 7개월 동안 입원하게 되었다. 지금은 가끔 얼굴을 비출 뿐이고, 이제는 아들이 3대째 주인으로서 가게를 이끌고 있다. 내가 특히 좋아했던 사람은 젊은 마음을 지닌 미인에다 눈치도 빠른 그의 어머니였다. 절품인 〈사시미 한펜〉도 "오타 씨, 가끔은 이것도 드세요"라며 권해주곤 했다.

도쿄의 중심, 지금은 크게 변한 니혼바시에 이런 가게가 여전히 이어지고 있는 것은 기적이다. 오래된 건물의 안전 대책도 고려하여 개축을 검토하고 있다고 한다. "이 카운터만 남겨 달라"고 부탁했다.

지금까지 전혀 다른 일을 하고 있었다는 3대째 세이야 씨. 가게를 지키기 위해 개축을 검토하고 있다.

清酒
吟醸

OUTLINE
점포개요

FOUNDED | 창업

1939년 창업. 초기에는 근처에서 술집의 코너에 서서 마시던 집이었으나 쇼와 21년(1946) 현재 위치에서 이자카야 「후쿠베」로 다시 태어났다. 2대째 기타지마 마사오 씨는 가업을 물려받을 때 선대로부터 「정직하고 실수 없는 장사를 하라」는 말을 들었다고 한다.

기타지마 유키마사(초대)

❶ 포렴

주방으로 통하는 포렴.

❸ 벽

회반죽 벽에는 세월의 색이 켜켜이 쌓여, 이 가게의 역사를 증언하는 듯하다. 코트 걸이가 그립다.

❷ 카운터

일 합(약 180ml)을 정확히 재는 마스, 깔때기, 노구리 — 이 세 가지가 술 마실 때의 '세가지 보물'이다.

❹ 2층

2층 다다미방 벽에 걸린 큰 글씨.

기타지마 마사오 (2대째)

HISTORY | 역사

도쿄 야에스구치 주변 술집 거리에서는 니혼바시 주변에서 근무하는 회사원들이 가볍게 술자리를 갖는다. 2대째인 마사오 씨는 정년퇴직 후 가게를 물려받았다. 초대 사장은 84살로 세상을 떠나기 전날까지 가게를 지켰다. 마사오 씨는 「아버지가 남긴 것, 손님이 남긴 것을 소중히 이어갈 것」이라고 말한다.

CUSTOMER | 고객층

단골손님들은 "요즘 젊은 사람들이 많아졌다."고 입을 모은다. 잡지 등에 소개된 영향 때문인지 여성 두 명이 와서 2층 다다미방에서 그들만의 술자리가 열리기도 했다고 한다.

FILE

창업	쇼와 14(1939)년
지역	도쿄도 주오구
창업 시 형태	이자카야
구조	철근 3층 건물
점주	기타지마 마사오(2대째)

이것이 「후쿠베」의 구성이다

술잔, 젓가락, 정해진 안주인 다시마 조림. 이 「1인 1쟁반」이 손님을 기다린다. 카운터 앞쪽이 닳아서 하얗다.

술통의 나무 마개를 빼 술을 퍼 올리고, 열두 구멍짜리 오칸기(お燗器, 사케를 데우는 기구)에 담갔다가, 손으로 온도를 확인한다. 이 일련의 과정을 가만히 지켜보고 있으면, 술을 마실 때의 맛마저 달라진다.

남자의 일상 속 이자카야는 이 정도로 충분하다

오늘은 〈시오 락교〉로. 적당한 조화.

〈명란젓 구이〉, 〈시오 락교〉, 〈쿠사야〉. 남자는 이런 걸로 술을 마신다.

DATA 후쿠베	도쿄도 주오구 야에스 1-4-5 / 03-3271-6065 / 16:30~22:40, 토, 일, 공휴일 휴무

사케칸키[酒燗器]

사케를 데우는 기구의 총칭. 상자 모양의 용기에 물을 부어 가열하는 것, 사케 병을 기기 상단에 대고 사용하는 것이 있다. 가정용으로는 사케 용기와 열원이 내장된 본체 부분을 분리할 수 있는 것이 있다.

—『식기 조리 기구를 알 수 있는 사전』(고단샤)에서 발췌

오칸[1]은 이자카야의 기본 중의 기본이다.
지금도 오직 그것만을 맡는 「오칸반」이 있다.
술의 성질에 맞추는 것은 물론, 단골의 취향을 꿰뚫고 있으며 그날의 날씨까지 고려한다.
이를 위해 쓰이는 술 데우는 기구도 여러 가지인데,
그중에서도 가장 중요한 기본 도구라 할 수 있다.

각주
[1] 오칸(お燗): 사케를 따뜻하게 데워 마시는 방식, 또는 그 행위 자체를 가리키는 말.

1

2

3

「오칸반」은 가장 중요한 일
1. 도쿄 「아카쓰카」 P.84
2. 시즈오카 「다카노」 P.212
3. 도쿄 「가기야」 P.96
4. 가나가와 「긴지」 P.196
5. 미야기 「겐지」 P.42
6. 도쿄 「후쿠베」 P.112
7. 도쿄 「란만」 P.182

岸田屋
新泉
岸田屋
酒
大衆酒場

기시다야 岸田屋

전시 중부터 이어져 온 국민 주점

도쿄도 주오구 쓰키시마

서민 거리의 정취가 남아 있는
쓰키시마에서 대중 술집의 정수를 만난다.
세련된 디자인의 남색 포렴 앞에는
예나 지금이나, 손님들의 줄이 이어진다.
가게 안은 쇼와 초기를 떠올리게 하는
운치 있는 인테리어. 쓰키시마의
잔 다르크가 환대하는 길고 좁은 카운터에서
명물인 「니코미」에 감탄하며
술과 가게의 분위기에 취한 채
「기시다야」에서 마시는 기쁨을 만끽한다.

남색 포렴을 빠져나오면 한 사람이 오갈 수 있을 정도의 공간이 있는 길쭉한 ㄷ자형 카운터를 만날 수 있다.

만화 『맛의 달인』에도 등장한
쓰키시마의 대중 주점

지금으로부터 약 40년 전, 아직 긴자에 있던 회사에 근무하고 있을 때, 일이 있어서 스미다 강을 건너 처음으로 쓰키시마에 가게 되었다. 그때 우연히 들어간 곳이 바로 이자카야 「기시다야」였다. 그것을 계기로 본격적인 이자카야 탐방이 시작되었다고 여러 곳에 썼다.

술을 좋아하는 사람들과 만든 「이자카야 연구회」에서 정기적으로 술자리를 갖는다. 자필 동인회보 「계간 이자카야 연구」를 1987년 연말에 창간했다. 이듬해 1월의 3호는 기시다야 특집호였으며 제목은 〈발견! 궁극의 이자카야, 살아있는 분위기〉였다. 내용이 다소 길지만 다시 한 번 실어 보겠다.

〈「올바른 이자카야」를 찾아 밤마다 방황하던 편집자는 새해가 밝은 어느 날 마침내 궁극의 이자카야를 찾았다. 장소는 마을 자체의 존립이 위태로운 주오구 쓰키시마에서 만난 「기시다야」. 이곳은 가리야 데쓰의 『맛의 달인』 1권 5화 「요리사의 자존심」에 살짝 등장하기 때문에 아는 사람은 이미 알고 있을 것이다. 따라서 이 리포트가 그들에게는 웃음을 자아낼 지도 모른다.

우선 동네의 풍경이 멋지다. 가로 세로로 뻗은 골목길은 나루세 미키오의 영화 세계를 그대로 재현한 듯하고 여기저기에서 「몬자야키〔밀가루를 물에 푼 반죽에 재료를 섞어 철판에 구워 먹는 쓰키시마가 발상지인 요리〕」 가게의 붉은 등이 켜져 있다. 나무로 된 미닫이 문을 가득 채운 포렴은 남색 바탕에 「술」이라는 글씨가 크게 쓰여 있다 양옆에는 「대중 주점」과 「기시다야」라고 적혀 있어 이보다 더 완성도 높은 디자인은 없을 정도로 품격이 있다. 한 걸음 가게 안으로 들어가면 동경의 전성기 시절이 펼쳐진다. 샐러리맨, 장인, 동네 상점 주인들이 편하게 어울리며 왁자지껄하게 마시고 있다. 인테리어와 장식은 쇼와 초기의 모습 그대로이며 에비스 신의 가면이 비뚤어진 채 걸려 있는 것도 아마 50년 전부터일 것이다. 왼쪽에 걸려 있는 명주의 미인화 포스터는 소설 『무호마쓰의 일생』에서 군인의 미망인에게 몰래 마음을 두었던 규슈 고쿠라시 인력거꾼 무호마쓰가 상상 속에서 괴로워하던 장면 그대로다.

메뉴는 전형적인 이자카야 스타일이지만, 그중 몇 가지는 특히 눈여겨볼 만하다. 우선 「락교 180엔」. 옛날 장인들의 안주는 바로 락교로 정해져 있었다. 무호마쓰도 이것으로 술을 마셨을 것이다. 그 외에도 「이와시스지메〔정어리 초절임〕」 550엔, 「니코고리〔어류 젤리〕」 200엔, 「다라도후〔대구와 두부〕」 400엔, 「구지라쇼가야키〔고래 생강구이〕」 400엔, 「히타라〔소금에 절인 대구〕」 300엔, 「레바사시〔간 회〕」 450엔, 「고마아에〔삶은 푸른 채소를 살짝 갈아낸 참깨와 간장으로 맛을 낸 참깨무침〕」 250엔 등이 있다. 특히 주목하고 싶은 것은 참치 「마구로가케쇼유〔참치 간장 절임〕」 400엔이다. 나는 직감적으로 이것이 바로 '쓰케〔일반적으로 참치 살코기를 간장에 절인 것을 말한다. 또한 야채나 어패류 등을 간장에 담그거나 조미료에 담근 것도 쓰케라고 한다〕'다 라고 생각했다. 잡어에 속했던 참치는 생선초밥의 원형으로 최근 「벤텐야마 미야코 스시」〔에도 시대부터 이어져 온 158년 정도 된 스시집. 만화 『맛의 달인』에도 등장〕나 「지로」〔긴자에 있는 스시집으로 아베 신조 전 총리가 오바마 전 미국 대통령을 접대〕 같은 고급 스시집에서 은밀히 부활하고 있는 메뉴다. 대부분의 손님은 이것과 예의 '니코미'부터 주문한다. 단순한 생선회지만 예전에는 「쇼유쓰케(간장 절임)」였던 것 같다. 하지만 토로(참치 뱃살)·추토로(가운데 뱃살)· 아카미(붉은 살)를 접시 하나에 다 담아 놓은 섬세함이 돋보인다.

문제의 「니코미〔고기나 곱창, 채소 등을 오래 끓인 서민 요리〕」는 정말 놀라울 정도로 훌륭해서 프랑스의 미슐랭 3스타 셰프 르피크 씨가 감탄할 정도다. 그 외에 줄무늬 전갱이(시마아지), 광어(히라메)도 훌륭하고, 게다가 초저가(최고 800엔)에 푸짐한 양으로 제공된다. 「이와시노 쇼가니〔정어리 생강 조림〕」의 훌륭함도 빼놓을 수 없다. 쓰키시마의 잔 다르크라고 불리는 미인이 바쁘게 일하며 입버릇처럼 "오빠, 잠깐만 기다려요."를 연발하며 일하고 있다. 술은 나다 지방의 「에이센(栄仙)」이 있다. 한 번쯤은 가보고 싶은 집이다.〉

이상은 동료들끼리 만든 회보에서 마음 가는대로 쓴 것이다. 그러나 문제의 「니코미」는 만화 『맛의 달인』에서 주인공 야마오카 시로가 데리고 온 프랑스 3스타 셰프 르피크 씨가 "훌륭한 작품입니다!"라고 극찬한 적이 있다. 시로가 "곱창을 다루는 방법을 잘 알지 못하면 이렇게 잘 익힐 수 없다... 향신료 따위는 전혀 사용하지 않았는데도 비린내가 나지 않는다..."라며 감탄한 음식이다.

『맛의 달인』은 1983년부터 36년간 지속된 초장편 만화로 초창기 5회에 등장한 이 에피소드는 유명 고급 레스토랑만 진품이 아니라는 관점을 명확히 하며 이후의 노선을 결정짓는다. 이 회차에는 손님을 꾸짖는 「쓰키시마의 잔 다르크」도 한 컷 등장한

단골 메뉴인 「니코미」는 예나 지금이나 변함없는 맛이다. 산처럼 쌓인 파도 좋다.

다. 그렇게 이름을 붙인 것은 나다.

길쭉한 ㄷ자형 카운터에서 잔 다르크가 손님을 맞이하고 있다

오늘 손님을 맞이하는 사람은 기시다 아쓰야 씨의 딸이다. 「쓰키시마의 잔 다르크」란 당시 가게를 도와주던 부친의 친척 아주머니다. 장녀인 자신은 아직 중학생이었지만 가게를 도와주는 예쁜 분이라고 생각했다고 한다. 얼마 전 가게 근처에서 우연히 만났는데 여든 살을 넘긴 나이에도 건강해 보여 반가웠다고 한다. 아주머니가 예전에 "쓰키시마의 잔 다르크라고 불렸데요."라고 하자 "와하하하, 마지막에 화형에 처해지는데."라며 크게 웃었다고 한다.

오랜만에 찾은 가게 안은 변한 게 하나도 없다. 가게를 가득 채운 ㄷ자형 카운터 안은 서로 마주보며 지나갈 수 없는 50센티미터 남짓한 폭으로 맞은편 손님이 바로 눈앞에 있다. ㄷ자형 카운터는 작은 가게에 최대 인원을 수용하기 위한 설계임을

알 수 있다. 앉을 수 없는 손님들을 위해 오른쪽 벽에 폭 20센티미터로 컵을 놓을 수 있을 정도의 카운터도 있지만, 여기서 벽을 바라보며 술을 마시기에는 조금 쓸쓸할 것 같다. 쓸쓸하지만 분위기에는 젖어들 수 있겠지.

정면의 큰 편액에는 웅장한 붓글씨로 새겨진 「기시다야」가 있고, 왼쪽 구석에 「대중 주점」이 있으며 아래에는 「쓰루가오카·마닐라·요시카와·쓰키가미·교토마이·요시하라야·아즈마·다루마 스시」 등 기증자의 명패가 있다. 학과 거북, 과녁을 맞힌 화살, 마토이(纏, 에도 시대 소방의 상징), 금화, 보물선을 그린, 축하를 뜻하는 장식 액자들은 세월을 더하며 그대로 걸려 있다. 신규 개업에 축하 액자를 선물하는 것은 상인들의 관습이다. 왼쪽 상단의 「기시다야 씨에게」라고 적힌 부채꼴 대에 끈으로 묶은 에비스 가면 한 쌍 중 한쪽만 있는데 예전에 그 밑에 자리를 잡고 있던 단골손님의 머리에 떨어져 그 사람이 얼마 지나지 않아 죽었다는 「쓰키시마 괴담」이 있었다고 딸이 웃으며 말했다.

입구 왼쪽에 있는 작은 손 씻는 곳에는 「기시다야 씨에게 다구사가와 정육점」이라고 적힌 거울이 붙어 있다. 오래된 이자카야 입구에 반드시 손 씻는 곳이 있는 것은 옛날에 규정으로 정해져 있었던 것일까. 새 업 축하 선물로 거울을 선물하는 것도 관례인데 이곳에는 「기증 기시다야 씨에게 노부요·이시마·마쓰우라」라고 적혀 있다.

입구 오른쪽 벽에 몇 센티미터씩 겹겹이 붙어 있는 스모 선수 순위표는 손님이 계속 붙여놓은 것이라고 한다. 어느 날 위

요즘은 자매가 함께 가게에 나오는 경우가 많다.

낡고 오래된 기쿠마사무네 포스터, 모델은 누구일까? 옆에는 투박한 배전반이 있고 기둥에는 선풍기가 있다. 자연스러운 점이 마음에 든다.

쪽 한 묶음이 떨어진 뒤로는 붙이는 것을 멈췄고, 지금 가장 위에 있는 것은 천하장사 다카노하나와 무사시마루다. 맨 아래 순위표는 쇼와 40년대의 것이라고 한다. 이런 식으로 손님이 글이나 그림, 사진, 향토물건 등 여러 가지를 가지고 와서 마음대로 장식하는 것을 오래된 이자카야에 가면 볼 수 있다. 나의 거처로 삼고 싶어진다.

내가 좋아하는 흰 국화를 손에 든 기쿠마사무네의 미인 포스터는 양조장에 아직 남아 있을까? 익숙한 부엌 입구 기둥에 걸린 60센티미터나 되는 대기 온도계는 오른쪽에는 「사케는 겐지」라고 적혀 있고, 아래에는 「맛있는 술이라면 기시다 주점·교바시구 쓰키시마 니시나카 5-1」이라고 적혀 있다. 아마도 전쟁 전의 주소일 것이다.

포렴에는 '술'과 '대중주점'이라는 글자가 걸려 있고, 이곳이야말로 '이자카야 유산'이라 부를 만한 가게의 모습이다.

기시다야의 창업은 메이지 33년(1900)이다. 요코하마 고유의 대중주점 형태를 본떠 만든 시민 주점이다. 기시다 씨이기 때문에 기시다야라고 정했다. 다이쇼 시대에는 단팥죽도 냈고, 전쟁 중에는 당국의 요청으로 서서 마시는 국민 주점이 되었다. 2대째인 기시다 아쓰야 씨는 "전후 쓰키시마는 공장이 많아 거친 노동자 손님들의 싸움을 중재하지 않으면 장사를 할 수 없었고, 바닥엔 삶은 샤코(갯가재) 껍질로 가득 찼다."고 말했다. "요즘은 도심에서 직장인들이 많이 찾아오지만, 『맛의 달인』이나 오타 씨가 쓴 책이 나오기 전까지는 거의 동네 사람들만 찾아왔다."고 했다.

아쓰야 씨가 돌아가신 후 예전부터 도와주던 두 딸과 아르바이트생 등 여성들이 주축이 되어 운영하고 있다. 주목할 만한 것은 당시부터 이어져 온 정성이 담긴 요리다! 낮에 쓰키시마에 와서 문가에 서서 잠깐 인사를 나누었을 때에도 주방은 늘 불이 난듯 바쁘다.

대표 메뉴는 〈니코미〉, 〈니쿠도후(소고기 두부 조림)〉, 〈누타〔유래는 끈적끈적한 모양이 마치 늪지대와 같다고 해서 붙여진 이름. 잘게 썬 생선이나 조개를 파, 채소, 미역과 함께 초된장으로 무친 요리〕〉가 있다.

〈니코미〉는 세 가지 부위가 들어가 있는데, 모양도 맛도 서로 달라, 마치 『맛의 달인』의 야마오카 시로가 말했듯, 정교한 손질이 있어야만 가능한 맛이다. 산처럼 수북하게 올라간 잘게 썬 파 또한 반갑다.

초대형 〈니쿠도후〉는 얇게 썬 소고기가 듬뿍 들어있어 스키야키와 비슷하지만, 두부가 메인이고 커다란 두부가 밑에 숨어 있으며 구운 파의 향이 일품이다.

〈누타〉의 재료는 한 종류만이 아니라 참치, 문어, 새조개, 미역인데 "오늘은 시타키리(조개 발살)가 들어오지 않아서요."라며 미안한 표정이다.

그 속에서 느껴지는 것은 정성을 다해 음식을 만들어 "이거 드세요."라는 서민 가게의 서비스 정신이다.

기시다야의 인기는 결코 가게가 오래된 것만이 아니다. 아무리 건물이 낡아도 매력이 없는 가게는 이자카야 유산이라고 할 수 없다.

건물의 노후와 대책을 고민하던 중 단골손님이 개보수를 맡아 천장을 새로 칠하고, 현관 4장의 유리창이 있는 미닫이문 안 좌우를 판벽으로 바꾸고, 건물 기초를 튼튼하게 만들었으나 높은 천장에 남겨둔 낡은 어류 탁본천이 그대로 남아 있어 나는 전혀 눈치 채지 못했다. 기시다야가 변하지 않았으면 좋겠다고 생각하기 때문에 예전의 분위기를 그대로 살린 개보수다.

요리 사진을 찍기 위해 도쿠리를 함께 놓아 달라고 부탁했더니 "안에는 물이에

천장을 가득 채운 것은 많은 어류 탁본.
모두 적갈색으로 물들어 있다.

빛바랜 감색 포렴. 더할 나위 없는 디자인으로 완성된 이 포렴이야말로 이자카야 유산 그 자체다.

요."라며 준비해 주었다. 촬영을 마치고 한 모금 마셔 보니, 이게 웬걸 술이었다! 대단하다. 손님을 기다리는 카운터에는 늘 간장병(목까지 가득 찬), 대형 시치미 통, 젓가락이 빽빽이 꽂힌 젓가락통, 티슈 상자 — 이 네 가지 보물이 단정히 놓여 있다.

시치미통을 들고 무겁다고 말하자 "방금 채웠어요."라고 대답하는 재치, "뭐든지 찍어도 되지만 전 안 돼요."라는 말투야말로 전형적인 도쿄 사람이다. "다녀왔습니다."라며 학교에서 돌아온 아이의 책가방을 받아 들고 "지금 손님이 계시니까 나가서 놀아라." 하고 엉덩이를 두드리자 "응."하고 아이가 뛰쳐나간다. 여기는 쓰키시마다.

개점 시간이 되자 포렴을 걸었다. 가운데 큰 글씨로 「술」이라고 써있고, 오른쪽에 「대중 주점」, 왼쪽에는 「기시다야」라고 적혀 있다. 이보다 더 완성도 높은 감색 포렴은 없다. 허례허식 없는 정직한 대중 주점 기시다야여 언제까지나 있어다오.

穴子煮付
子持カレイ煮付
いわし煮付 六〇〇
いか一夜干 六〇〇
さば塩焼
焼はま
肉どうふ
牛にこみ
なめこ汁
緑茶割
レモンハイ
ゆず酒
瓶ビール大
三〇年前の、あの夏がよみがえる。

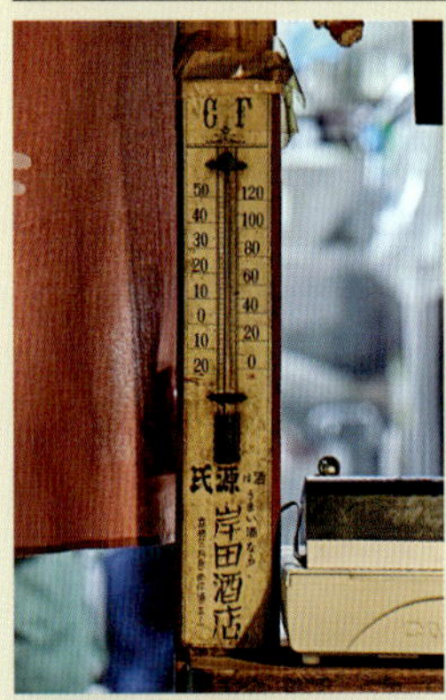

❶ 대기 온도계

정면 기둥에 걸린 오래된 온도계에는 "맛있는 술이라면 기시다 주점"이라고 적혀 있는데 청주 '겐지(源氏)'를 취급하던 시절의 물건으로 보인다. 주소는 '교바시구 쓰키시마 니시나카도리 5-1'로 되어 있다.

❷ 스모 경기 순위표

벽에 겹겹이 붙여 있어서 맨 뒤는 떨어질까 봐 무서워서 볼 수 없다.

OUTLINE
점포개요

FOUNDED | 창업

창업은 메이지 33년(1900). 창업 초기에는 전쟁 중 요코하마에서 시민주점으로 태어나 영업을 시작했다. 당시에는 가게 안에서 싸움하는 일이 잦아서 혼란스러운 분위기가 감돌았지만, 현재의 고객층은 직장인들이 중심이어서 차분하게 술을 즐길 수 있게 되었다.

❸ **가게 이름이 새겨진 편액**
양각 옻칠 마감이 멋스럽다.
아래는 증정자 이름이 적혀 있다.

❹ **거울**
준공 축하로 이름이 새겨진 거울을
선물하는 것이 관례였다.

❺ **카운터**
가장자리 모서리가 완만하다.

HISTORY | 역사

선대 사장은 당시 다니던 회사를 그만두고 이자카야를 인수했다. 현재는 필자의 저서 등의 영향으로 손님 층이 변화하기 시작해 많은 사람들이 찾게 되었다고 한다.

CUSTOMER | 고객층

창업 당시에는 가게 안에서 손님들끼리 싸움이 벌어지기도 했다. 가게에서 주문을 받는 사람이 주로 여성인 것도 차분해진 이유 중 하나일 것이다. 영업시간 전부터 가게 앞에 줄을 서는 경우가 많다.

FILE

창업	메이지 33(1900)년
지역	도쿄도 주오구
창업 시 형태	서민 주점
구조	목조 2층 건물
점주	기시다 아쓰야(2대째)

예전과 다름없는 멋진 개보수를 거쳤다

개점 이래 줄곧 장식해 온 축하 액자, 아타리야(과녁에 맞은 화살), 후쿠로쿠주(칠복신 중 하나) 등 복을 비는 액자가 서민적인 친근함을 준다.

양심적인 곱빼기, 이것이야말로 서민의 이자카야!

명물인 〈니코미〉는 양도 푸짐하다. 〈누타〉는 참치, 문어, 새조개, 미역으로 호화롭다. 양과 질 모든 면에서 충족시키기에 서민들의 양심이라고 할 수 있다.

술은 기쿠마사무네. 손은 오타 가즈히코.

초대형 〈니쿠도후〉. 고기 아래에 커다란 두부가 있다.

DATA 기시다야	도쿄도 주오구 쓰키시마 3-15-12 / 03-3531-1974 / 16:00~21:00, 일·월 정기 휴무

シンスケ

신스케
シンスケ

시대에 맞게 진화하는 이자카야

도쿄도 분쿄구 유시마

사케 한 잔도 정직하게, 정량인 일 합을
정확히 따라내는 가게.
지역과 인연 깊은 유시마 덴진에서 오랫동안
사랑받아 온 도쿄를 대표하는 명점.
깔끔한 동나무로 만든 카운터와
젊은 시절의 나카조 마사요시가 디자인한
인테리어의 세련된 감각.
다양한 경험을 쌓아온 어른들과
어른이 되고 싶어 눈을 반짝이는
젊은이들이 모이는 순수한
도쿄의 이자카야가 바로 여기에 있다.

에도시대 스타일이 살아 있는 이자카야
세련됨이 돋보이는 유시마의 주점

유시마 덴진 언덕 아래 위치한 「쇼이치고 주점 신스케」는 다이쇼 13년(1924)에 창업하여 올해 레이와 4년(2022)으로 개업 98년을 맞는 도쿄의 대표적 이자카야다.

덴지사에 참배하러 가려면 가파른 언덕 오토코자카와 완만한 언덕 온나자카 중 하나를 선택하게 되는데 바로 그 갈림길에 「신스케」가 있다. 오른쪽에는 수양 벚나무, 흰 동백나무, 남천, 매화, 대나무가 심어져 있는 그리 크지 않은 현관이 있다. 현관에는 세 개의 돌계단이 있는데 왼쪽에는 주상절리 형태의 막대 모양 돌이 푸른 나무들과 어우러져 높이 약 60센티미터나 되는 쓰쿠바이〔물그릇 형태의 돌통〕를 감싸고 있다. 둥근 대나무 도관에서 물이 졸졸 흐르고, 빨간 꽃이 장식되어 있다. 저녁이 되면 주인이 이곳에 물을 뿌려서 정갈하게 하고 포렴을 걸면 영업이 시작된다.

포렴은 윗부분에 장식 매듭을 넣지 않고 아래까지 곧게 늘어뜨린 형태로 앞에 걸려 있는 큰 사카바야시〔삼나무 잎을 공 모양으로 만든 것으로, 양조장이나 술집 처마 끝에 장식되어 사케를 취급하고 있다는 것을 나타내는 상징〕와 잘 어울린다. 왼쪽의 하얀 사방등에는 작게 「신스케」라고 적혀 있다. 자세히 살펴보면 위쪽 구석에는 교토 기온마쓰리에서 행렬의 선두를 장식하는 나기나타보코〔긴 창자루 끝에 금속 장식을 단 호코〕도 놓여 있다. 현관의 나무문 위쪽은 투명 유리에 가게 이름 네 글자를 은은하고 흐리게 새겨 넣었는데, 그 담백하고 군더더기 없는 세련된 분위기는 교토의 부드러움과는 또 다른, 깔끔한 도쿄풍이다.

현관문을 들어서면 계산대가 보이고 오른쪽 격자문을 통해 내부로 들어간다. 참고로 안쪽에 있는 화장실 문은 현관과 같은 형태지만 여기는 뿌연 유리에 로고만 투명하게 되어 있어 음양처럼 반대의 구조를 이루고 있다.

직사각형의 실내는 기와를 촘촘히 깔아놓은 듯한 검은 바닥 위에, 제법 엿빛으로 변해온 흰 목재가 돋보일 뿐, 꾸민 장식이나 곡선 같은 것은 전혀 없다. 가운데에는 한 장짜리 통나무 판으로 만든 카운터가 6미터나 곧게 뻗어 있고, 오른쪽에는 벤치 시트에 두 사람이 앉는 테이블 몇 개, 왼쪽에는 칸쓰케바, 그리고 안쪽 끝에는 네 사람용 테이블 두 개가 놓여 있다. 한눈에 가게 전체가 훤히 들어와, 술을 마시면서 괜히 숨죽일 필요가 없는 이 명쾌함이 좋다.

말끔한 실내에는 수는 적지만 눈길을 끄는 것들이 있다. 가장 안쪽 위에는 푸르게 싱싱한 굵은 시메나와와 함께 모셔진 유시마 덴진의 사당. 카운터 정면 위에 걸린 현판 '취춘풍(醉春風)'은, 술을 납품하던 화가 고스기 호안에게서 받은 글씨를 목조각가 하세가와 도요오가 새긴 것으로, 한없이 유연하고 탈속적이다.

카운터 왼쪽 끝에 걸린 작은 액자 '술(酒)'은 최고재판소 인장 제작을 맡아 일본 정부 훈장을 받은, 당대 최고의 전각가이자 서예에도 능했던 이시이 소세키의 작품이다. 이 굵은 붓글씨를 보고 어떤 외국인은 "이건 술병을 쥔 손이냐"고 물었다고 한다. 뒤쪽에는 '인(忍)'이라는 글자가 크게 걸려 있고, 그 위에는 스모 천하장사인 와카노하나, 아케보노, 다카노하나, 사카호코 네 명의 손바닥 도장이 찍혀 있다.

안쪽에는 히로시게의 「명소 에도 팔경」 중, 이 근처의 시노바즈 연못을 둥근 소

내부는 아트 디렉터 나카조 마사요시의 디자인. 곧게 뻗은 한 장의 판으로 된 카운터가 멋지다.

깔끔한 백목에 둘러싸여 있고, 천장에 있는 엮인 대나무가 조명을 은은하게 비추는 카운터 맞은편 좌석.
안쪽의 그림은 우타가와 히로시게의 「우에노 산속의 둥근 원을 그리며 자란 소나무」다.

나무 가지 사이로 바라본 〈우에노 산내 달의 소나무〉가 걸려 있다. 입구 계산대 옆에 걸린 미인화 포스터는 '료세키(両関)'가 전후에 처음으로 제작한 광고물이다. 예전에 어떤 연배 있는 취객이 이 포스터를 보고 '머리 모양은 당시의 최신 유행이지만, 기모노는 시골 게이샤 같다'고 평한 적이 있는데, 그야말로 한마디 꼭 보태고 마는 에도 사람다운 일화다.

카운터 앞의 작업 공간에는, 아래 선반에 아키타의 료세키 1.8리터 병이 놓여 있고, 위 선반에는 도쿠리가 줄지어 있다. 흰 바탕에 '신스케'라는 글자만 들어간 이 도쿠리는, 위에 파란 선이 하나 그어진 것은 삼나무통 술(다루자케), 아래에 파란 선이 하나 그어진 것은 준마이슈(순 쌀로만 빚은 사케), 아무 표시가 없는 것은 혼조조(쌀과 다른 알콜 혼합)를 뜻한다. 참고로 나는 4대째 주인에게서 "오타 씨 것도 하나 만들어 두었어요"라며 '가즈히코'라고 이름이 들어간 도쿠리 한 병을 받은 것이 자랑이다.

예전에 고등학교 때부터의 절친인 마쓰이 신스케를 이곳에 데려와 이름을 말하며 소개했더니, "어서 오세요, 어서 오세요" 하며 가게 이름이 인쇄된 나무젓가락 봉투를 한 움큼 쥐여주었다. 그 이후로 그의 집에 가면 어김없이 그 '신스케' 젓가락 봉투가 나온다.

그리고 이 공간의 주역은, 세 개의 술통이 두 단으로 위엄 있게 놓인 '료세키'의 고모를 씌운 술통이다. 〔고모(薦): 짚으로 덮은 전통 사케 술통으로, 양조장의 이름과 술의 격을 상징하는 일본 사케 문화의 표식.〕

요리는 모두 안쪽에서 옮겨 오고, 이

곳은 오로지 술을 데우기 위한 자리다. 스테인리스 열두 구멍짜리 칸쓰케 장치에 도쿠리를 담그고, 손바닥으로 온도를 가늠하는 3대째 주인의 차림새가 인상적이다. 발에는 흰 코끈의 조리를 걸치고, 몸에 맞는 패치 바지에 앞치마를 두른 채 전통 작업복인 핫피에 콩무늬 두건을 맨 차림이다. 마치 건설현장 우두머리를 연상케 하는 모습으로, 이것이야말로 기백과 멋이 살아 있는 에도 사람의 스타일이다. 그가 입은 핫피는 가장 멋스럽다고 여겨지는 줄무늬로, 여행지 마쓰에에서 발견한 전통직물, '히로세 가스리'가 마음에 들어 직접 염색을 맡긴 것이라 한다. 손님의 주문에 "호—이" 하고 답하는, 봄바람처럼 너그러운 그의 일솜씨는 가게의 공기를 한결 여유롭게 만들고, 이 자리에 앉는 즐거움이 무엇인지 알게 한다.

그럼 주문을 해보자. 가게 안에는 먹으로 쓴 가격표가 줄지어 붙어 있고, "자, 뭘 먹을까" 하고 잠시 고민하는 시간마저 즐겁다. 생선회, 고등어회, 에비 신조〔다진 새우 살을 반죽해 쪄내거나 튀긴 일본 요리〕, 문어 초무침, 다타미이와시, 참깨 무침, 수제 다테마키, 후카가와 두부 등 모두 정통적인 메뉴만 있다. 인기 있는 초된장에 버무린 요리인 〈누타〉는 오마마치 지역의 참치와 제철에 나는 야오야기〔개량조개 살〕 등이 있지만 단순한 〈네기 누타〔초된장에 버무린 파〕〉가 진짜 고수들이 좋아하는 맛이다. 독특한 〈기스네 라클렛〉은 유부 속에 라클렛 치즈를 기름에 튀긴 것으로 예전에 스위스 대사관의 단골 손님에게 만들어 준 것이 입소문을 타면서 단골 메뉴가 되었다. 〈이와시 간세키아게〔정어리에 톳, 고구마, 콩 등을 섞어 튀긴 요리〕〉도 인기가 있다. 간단한 반찬은 흔한 〈히타시〔시금치 등의 잎채소〕〉가 아닌 콩을 정성스럽게 맛들인 〈시타시 마메〉가 나온다. 재료의 맛을 살린 조리, 꾸밈없이 단정한 담음새는 이 집이야말로 도쿄식이라는 걸 말해준다. 봄의 〈와카다케니〔햇 죽순 조림〕〉, 초여름 〈은어〉, 가을의 〈은행〉, 겨울의 〈가키 쇼유야키〔굴 간장구이〕〉 등 사계절을 맛보는 즐거움 또한 이곳의 매력이다.

속임수로 양을 부풀리지 않고, 정직하게 일합(약 180ml)을 채워주는 순정한 가게

이 가게는 에도 후기(1815년)에 사카야로 창업했다. 다이쇼 12년(1923) 간토 대지진으로 가게가 무너졌다. 7대째인 야베 고스케는 재건을 결심하고, 1925년 일하고 있던 간다 신사 아래의 술집 「이치보쿠쇼텐」에서 독립해 이자카야를 시작하게 되었다. 그때 주인이었던 「스즈키 신스케」의 이름을 따왔으나 그 이름을 그대로 쓰지 않고 가타카나로 바꿨다. 이것이 이자카야의 첫 번째 「신스케」였다.

가게는 요리보다 술이 중심인 목조 2층 건물에 흙바닥 구조였다. 술은 이치키 상점에서 취급하던 '료세키' 한 종류로 한정했다. 술집답게 정직하게 계량해 팔고 싶다는 뜻에서 '쇼이치고〔정일합〕의 가세(正一合の店)'를 간판으로 내걸었다. 신스케에서 표시 없는 도쿠리에 담기는 혼조조주는 시판되는 기본 술이지만, 준마이슈나 통술에 쓰이는 술은 아예 신스케를 위해 별도 탱크에서 따로 빚는 전용 배치다. 그래서 그 술들은 이곳에서만 마실 수 있다. 예전에 아키타의 양조장을 찾았을 때 '신스케'라는 이름을 꺼내자, 양조장 사람이 "정말 큰 신세를 지고 있다"며 환히 웃던 장면

이 지금도 잊히지 않는다.

한 잔을 대충 따르지 않고, 일본 전통 단위로 정확히 180ml를 계량해 내는 정직한 장사는, 근처의 도쿄대와 예술대학 교수들, 일찍 일을 마치는 장인들, 술을 좋아하는 이들에게 사랑받아 왔다. 가까운 이와사키 가문의 사람들은 직접 오지는 않았지만, 귀빈을 태우는 인력거꾼들이 호출 대기 장소로 이곳을 사용하곤 했다. 이와사키 가문의 어느 대가 전쟁에 나갔다가 무사히 돌아왔을 때, 당시 귀하던 배급 술을 구해 축하 선물로 보냈더니 크게 기뻐했고, 그 뒤로는 집안의 당주도 가끔 얼굴을 비추게 되었다.

쇼와 42년(1967년), 가스관 폭발 사고로 가게가 피해를 입어 재건하게 되었는데, 이때 매장 디자인을 맡은 사람이 아트 디렉터 나카조 마사요시였다. 대중주점식의 ㄷ자 카운터가 아니라, 말끔한 일자 카운터로 하자고 하여 한 장짜리 통나무 판을 찾았으나 쉽지 않았다. 그러다 신사용으로 쓰일 대만산 편백의 거목이 있다는 것을 알게 되어, 그중 한 그루를 켜서 카운터로 사용했다. 설치할 때는 전화번호부를 여러 권 쌓아 올려가며 시험해 보고, 팔꿈치를 올려놓기에 딱 좋은 높이를 정했다. 또 앉은 손님과 안쪽에 서 있는 주인의 눈높이가 같아지도록 작업 공간을 한 단 낮추고 싶었지만 배수 처리 등의 문제로 그럴 수 없어 대신 손님 쪽 바닥을 높였다. 그 결과 입구에서 세 단을 올라가게 되는 구조가 되었다.

가게 이름 로고 '신스케'는 나카조 씨의 지인에게 써 달라고 한 글씨를 점과 획을 분해해 재구성한 것으로, '신(シン)'의 점과 튀김획을 같은 형태로 반복 사용한 레터링 처리가 특히 뛰어나다. 또 '텐진시타(天神下)' 세 글자 가운데 '천(天)'을 오른쪽에, '하(下)'를 왼쪽에 두고 그 사이에 작은 '신(神)'을 끼워 넣어, 마치 도리이 아래에 신이 있는 것처럼 보이게 한 마크도 디자인했다. 이 마크는 최근 복각되어 금속판으로 제작·장식되고 있다. 몇 해 전 만들어진, 유시마의 매화에서 착안한 것으로 보이는 코스터 역시 매우 세련된 디자인이다.

나카조 씨는 시세이도의 잡지 『하나츠바키』의 아트 디렉터를 40년 동안 맡았고, 시세이도 파름러 등 여러 작업을 통해 도시적이고 세련된 시세이도 이미지를 확립한 세계적인 디자이너다. 시세이도의 부티크 '더 긴자(The Ginza)'의 인테리어도 그의 손을 거쳤는데, 모던하면서도 시크한 분위기로 큰 호평을 받았다. 쇼와 43년(1968년), 나는 시세이도에 디자이너로 입사했는데, 회사 선배였던 나카조 씨의 작업과 인품에 매료되어 가까이 지내게 되었다. 이 '신스케'에 처음 나를 데려와 준 것도 그

술은 아키타「료세키」의 신스케 별주.

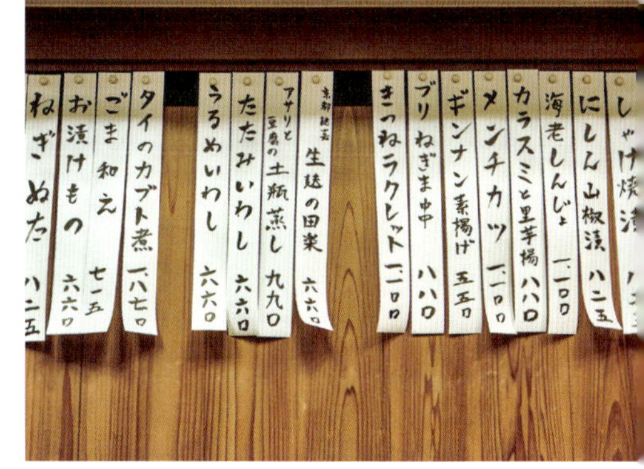

먹으로 쓴 가격이 적힌 흰 종이가 줄줄이 늘어서 있다.

런 인연 가운데 하나였다. 주인에게서 가게 설계를 맡은 사람이 나카조 씨라는 이야기를 듣고, 그의 디자인에는 에도마에의 '이키(멋)'가 은근히 숨어 있다고 느꼈다. '신스케'는 젊은 시절의 아트 디렉터 나카조가 지닌 세련되고 재치 있는 미학이 만들어낸, 도쿄의 '멋' 그 자체였던 것이다.

빌딩화 되어가는 도심 속에
변함없는 가게의 모습

스무 살을 갓 넘긴 무렵 처음 이곳을 찾은 나는, 익숙한 신사도 신주쿠도 아닌 유시마 덴진시타를 알게 되었고, 비로소 '진짜 도쿄'에 다다른 것 같은 기분이 들었다. 손님들의 화제는 스모와 라쿠고〔만담〕. 풍자를 즐기고 재치를 사랑하며, 활달하게 잔을 기울이되 과도한 취기는 용납하지 않는다. 모두가 이 가게의 분위기를 즐기고 지키려 하며, 이곳의 손님이라는 사실을 자랑스럽게 여긴다. 이 카운터에 혼자 앉아 자세 바르게 술을 마실 수 있게 되었을 때, 비로소 자신을 도쿄 사람이라 의식하게 되었다.

학생 시절 내내 가라 주로의 「상황극장」을 보며 열렬한 팬이었던, 온나가타 배우이자 인형 작가 요츠야 시몬 씨가 단골이라는 사실을 알고 인사를 나눈 적도 있다.

3대째 야베 도시오 씨는 스모를 좋아하지만, 대회 기간에만 술통 위에 올려둔 작은 TV를 아주 작게 켜 두고 가끔 힐끔거릴 뿐이다. 하루의 마지막 경기만 확인하면 곧바로 끄고, 손님들과의 대화도 누가 이겼는지보다는 선수 이름을 부르는 호출자의 목소리가 얼마나 품위 있었는지를 이야기한다. 스모를 아는 사람다운 태도다. 도쿄 본 장소 개막 전 토요일이면 '후레다이코'가 신스케에도 들러, 손님들 앞에서 첫날 대진을 읽어주고 주인과 손님들은 축의금을 건넨다.

헤이세이 2년(1990년), 건물의 빌딩화에 착수했다. 헤이세이 4년(1992년), 재개점 보고를 겸해 호텔 뉴 오타니에서 열린 '창업 66주년 기념회'에 초대받아 말석에 앉아 있던 나는, 한낱 시정의 이자카야 축하 자리에 이렇게 많은 신사숙녀가 모였다는 사실이 눈부시게 느껴졌다. 그때 당시 92세였던 스즈키 신스케 씨가 등장해 장내의 박수를 받았고, 사회자는 "그의 아들이 바로 저, 스즈키 하루히코입니다"라고 이어 말해 다시 박수가 터졌다. 마지막으로 늘 핫피 차림이던 3대째 도시오 씨가 이례적으로 카틀레야를 가슴에 단 턱시도를 입고 마이크 앞에 서서 "제가 스스로에게 다짐하는 말은 단 하나, 당연한 일을 제대로 하는 것, 그것뿐입니다"라고 맺자, 세 번째 큰 박수가 일어났다. 2년을 기다려온 팬들은, 개축 이후에도 현관과 실내, 카운터가 그대로인 변함없는 모습에 안도했다.

헤이세이 18년(2006년), 제국호텔에서 열린 '창업 80주년 기념회'는 갓 결혼한 4대째의 공식적인 자리이기도 했으며, 술집 이전의 주류상 시절까지 헤아리면 11대째에 해당하는 계승을 알리는 무대이기도 했다. 마지막으로 인사에 나선 것은 하오리 하카마 차림의 체격 큰 나오지 씨였다. 그는 "제가 스스로에게 맹세한 말은 단 하나, 결코 유시마 땅을 떠나지 않는 것입니다"라고 말하며 인사를 맺었고, 장내는 큰 박수로 가득 찼다. 그때 새 부부의 중매인으로 자리에 서 있던 사람이 나카조 부부였고, 더구나 신부가 내가 근무하던 시세이도 직원이라는 사실을 알게 되어, 한층 더 친근함을 느끼게 되었다.

「고객의 어깨너비를 지켜라」편안함은 아버지의 한마디에서 비롯된다

오늘 화제는 얼마 전 세상을 떠난 나카조 씨의 이야기였다. 그가 "가게 분위기가 조금 딱딱해진 것 같다"며 그림 한 점을 들고 찾아왔는데, 그 작품은 참으로 전위적이면서도 세련되고 경쾌했다. 마침 들른 요츠야 시몬 씨와 3대째 도시오 씨, 그리고 나카조 씨 세 사람이 어깨동무를 하고 웃고 있는 사진이, 유시마 덴진 대형 도쿠리와 료세키 120주년 기념 비장주 '군토쿠(君徳)' 앞에 조용히 놓여 있었다.

젊은 시절 곧바로 가게를 잇지 않고 세계를 돌며 지역 활동 등을 해오던 4대째 나오지 씨를 두고, 3대째는 "남자는 그 정도가 딱 좋다"라며 너그럽게 지켜보았다. 그러다 돌아와 묵묵히 주방에 서고, 결혼도 하고, 때로는 홀에도 얼굴을 내밀게 되었다. 4대째를 잇게 될 때 아버지에게서 들은 말, "손님의 어깨 너비를 지켜라"는 말이 무엇을 뜻하는지, 그는 이제야 알게 되었다. 그것은 손님과의 적당한 거리감이 만들어내는 편안함이라는 것을. 병따개로 맥주병을 힘차게 "퐁" 하고 여는 소리는 이 집의 명물이기도 하다

4년 전 뉴욕에서, 교토를 대표하는 생밀가루 전문점 후카와 1717년 창업한 차 전문점 잇포도가 운영하는 사찰음식점 「가지쓰」에서 아시아 주간에 맞춰 에도 도쿄의 술집 행사가 열렸다. 그 행사에 초대받아 「신스케」를 나흘간 오픈했는데, 매일같이 찾아오는 미국인 손님도 있었다고 한다.

3대째는 여든둘이 되었지만 여전히 정정해, 매일 두 시간가량 칸쓰케바에 선다. 안주인은 많은 인원을 받는 2층 좌석을 맡고 있다. 두 해 뒤면 창업 100주년을 맞는다. 나는 이제 일흔여섯. 평생 다닐 수 있는 가게가 있다는 행복을 새삼 곱씹고 있다.

「신스케」의 이름과 전통을 지키면서 가게에 새바람을 일으키고 있는 4대째 나오지 씨.

シンスケ

OUTLINE
점포개요

FOUNDED | 창업

에도 후기에 술집으로 창업. 이후 7대에 걸쳐 가게를 이어왔으나 다이쇼 12년(1923) 간토 대지진으로 건물이 붕괴되었다. 재건축 후 다이쇼 13년(1924)에 간다 신사 아래에 있던 술도매상「이치보쿠쇼텐」에 다니던 초대 사장이 술집으로 창업했다.

HISTORY | 역사

현 주인은 4대째다. 사카야 시절부터 계산하면 11대째 가업을 이어오고 있다. 쇼와 초기에는 이른바「아게조코〔용기의 바닥을 이중구조로 하거나 바닥면을 높게 하여 양이 많아보이게 하는 방법〕」로 술의 양을 속여 판매하는 가게도 있었지만 초대 야배 고스케 씨는 '사카야 시대처럼 술을 계량하여 판매해야 한다'고 주장하며 현판에는 양을 속이지 않는「쇼이치고」라는 글자를 새겼다.

CUSTOMER | 고객층

혼자 오시는 분들도 많고, 가게 안은 조용해서 독서를 해도 방해가 되지 않는다. 최근에는 외국인 손님도 많아졌다고 한다. 카운터 자리에서 단골 손님들의 대화는 주로 스모와 라쿠고에 관한 것이다.

FILE

창업	다이쇼 13(1924)년
지역	도쿄도 분쿄구
창업 시 형태	이자카야
구조	8층 건물
점주	야베 나오지(4대째)

❶ **스기타마(사카바야시)**
사카바야시(일명 스기타마)와 최근 새로 바꾼 새끼줄 포렴(나와노렌)

❷ **쓰쿠바이**
큰 돌을 도려낸 쓰쿠바이. 현관에는 항상 물이 있어 청결함이 좋다. 여기에 있는 물을 현관이나 정원에 뿌리는 일이 개점 전의 일이다.

3

❸ **검게 칠한 격자**
현관 오른쪽에는 격자 모양의 복새가 창문을 덮고 있다. 영업시간에는 이 창문을 통해 빛이 새어 나와 손님들의 발걸음을 유인한다.

깔끔한 가게 안은 에도풍

정면에 있는 편액 「취춘풍」은 고스기 호안의 글씨를 하세가와 토요오가 새긴 것이다. 「봄바람에 취하는 마음」은 이 가게와 잘 어울린다.

〈기츠네 라클렛〉 동서양의 만남.

〈도미회〉는 언제나 최고급이다.

〈에비 신조〉 바삭바삭하고 부드러운 맛.

유시마 텐진사에는 항상 푸른 사카키가 올라간다.

나카조 마사요시 씨의 디자인이 남아있는 물건들

2024년 신스케 창업 100주년을 맞아, 나카조 씨에게 '그림, 앞치마, 소접시 문양 3종'을 부탁해 두었는데, 그중 앞치마가 유작이 되었다. 마을 축제 때 입는 한텐(半纏, 일본 전통 겉옷) 역시 그의 작품이다.

「덴진시타」 로고로 만든 디자인의 묘미.

옛날에 나눠주던 가게의 성냥. 앞뒤가 다른 디자인으로 되어 있다.

나카조가 디자인한 컵받침. 유시마 하면 하얀 매화꽃이 떠오른다.

말년의 나카조 씨가 '가게 분위기가 딱딱하다'며 가져온 탈력감 있는 일러스트.

요쓰야 시몬 씨, 나카조 씨, 3대째의 사진.

DATA 신스케	도쿄도 분쿄구 유시마 3-31-5 YUSHIMA3315 빌딩 1F • 2F / 03-3832-0469 / 17:00~21:00, 일·공휴일 정기 휴일

伊勢藤

11

JAPAN
HERITAGE
OF
IZAKAYA

이세토 伊勢藤

마음을 씻는 술의 동굴

도쿄도 신주쿠구 가구라자카

가구라자카를 대표하는 돌길을 따라가면
그 길 끝에 나무로 지어진 2층 술집.
아름다운 등롱의 불빛에 이끌려
문을 열면 세련된 이타노마가
눈 앞에 펼쳐진다. 정중하고 빈틈없이
따뜻한 술을 준비하는 주인의 모습.
가게의 예법에 따라 조용히 술과 마주할 때
진정한 사치를 느낀다.

옛 번화가에서 만나는 격조 높은 명주점

한때 화류계 거리로 번성했던 가구라자카는 쇼와 초기에는 야마노테 긴자로 불리며 거리에는 200여 개의 노점이 늘어서 있고 활기찼다. 거리 양쪽의 여러 골목에서는 세련된 올림 머리를 한 게이샤들이 오가고, 어디선가 샤미센의 맑은 현 소리가 흘러나왔다. 언덕 위의 비샤몬텐 젠코쿠지 사원은 본당에서 손을 모으거나 거리에서 절을 하는 사람들이 끊이지 않는다. 사찰 문 앞 골목, 오른쪽 안쪽에 「이세토」가 있다.

이 가게는 쇼와 12년(1937)에 개점했다. 창업 초대 사장님은 다니고 있던 니혼바시의 이자카야 「잇사로」를 본 떠 가구라자카에 가게를 열었다. 그 건물은 전쟁 중에 불타버렸지만 바로 쇼와 23년(1948)에 예전과 같은 자리에 다시 지었다. 그로부터 74년이 지난 지금까지도 그 자리를 지키고 있다.

4계절 내내 2층 창문에 발이 드리워진 큰 목조 2층 건물로 좌우의 동백나무 조경

바깥 현관을 지나 한 번 방향을 틀면, 정면에 풍류가 깃든 장치가 나타난다. 그 오른쪽 문 너머로는 다실을 품은 안뜰이 이어진다.

사이에 있는 입구는 품격 있는 가게 이름이 적힌 오른쪽 현판 아래 깨끗한 새끼줄 포렴이 한 올도 흐트러짐 없이 내려와 있고, 옆에 있는 흰 등롱에 적힌 「이세토」도 필체가 아름다워 품격을 드러낸다. 입구 아래에는 정사각형이나 반원형의 다양한 자연석들이 평평하게 깔려 있으며 인접한 거리에는 곡선을 그린 핀코로석이 놓여 있는데 파리풍의 납작한 돌바닥과 대비되어 한층 흥미롭다. 최근 몇 년간 가쿠라자카는 서양인들 사이에서 인기가 높아졌으며 이 가게 맞은편에도 프랑스 카페가 있고, 핀코로 돌길도 최근 공사로 새로 정비되었다.

자, 들어가 보자. 포렴을 가르고 들어가면 위쪽은 쇼지〔종이문〕와 둥근 통나무 난간이 보이고, 발아래의 디딤돌은 약간 오른쪽으로 기울어져 걸음을 이끈다. 와카야마 보쿠스이의 '백옥의 이에 스며드는 가을밤의 술은 조용히 마셔야 한다'는 와카의 글귀가 적힌 등롱과 미니 포렴이 있는 중간 현관의 장지문을 왼쪽으로 들어서면 드디어 가게가 나온다. 오른쪽과 왼쪽, 정문과 중간문으로 이어지는 이 짧은 동선은 세심하게 설계된 공간이다.

왼쪽에 있는 대나무 담벼락이 안쪽으로 인도하는 그곳은 마치 에도 시대 촌장의 대저택에 있는 공간과 같다. 검게 윤이 나는 판자 벽과 기둥. 그리고 운치 있는 흙 바닥. 정면에는 흰 종이를 바른 장지문 너머로 방이 있고, 그 옆으로 위층으로 오르는 계단이 이어진다.

그 오른쪽에는 낮은 대나무 울타리로 구분된 공간이 있고, 자연스럽게 디딤돌이 깔려 있으며 손 씻는 돌그릇 쓰쿠바이에 설치된 둥근 대나무 안에서 물이 떨어진다. 얇은 대나무 울타리가 있는 작은 장식용 창

이 고요한 기품. 그저 이로리 옆자리일 뿐인 공간이 이렇게까지 정제될 수 있다니. 오른쪽으로는 단을 올라 다다미방으로 이어진다.

문 앞에는 오래된 선반에 붉은 단풍잎과 흰 국화를 꽂아 차실처럼 우아한 풍경을 연출한다.

눈을 왼쪽으로 돌리면 카운터를 둘러싸고 있는 칸쓰케바〔술을 데우는 장소〕가 색다른 분위기를 자아내는데, 이곳이 손님을 맞이하는 정석 자리임을 알 수 있다. 바닥에는 4인용 작은 테이블이 하나 놓여 있는데 그것은 부조석으로 시중드는 사리를 위한 공간처럼 보인다.

정면은 화덕 공간, 오른쪽은 차실처럼 꾸며져 있고, 안쪽은 술을 따르는 공간이 자리 잡고 있다. 공간 전체에서 느껴지는 조용하고 엄숙한 분위기에 압도된다. 높은 천장에서 내려온 종이 장식의 물레방아 같은 등불은 처음엔 어둡게 느껴지지만, 눈이 익숙해지면 세세한 부분까지 드러난다. 정밀하게 다듬어진 판자 천장은 일부는 섬세한 격자 천장으로, 또 다른 부분은 갈대를 엮어 변화를 주기도 했다.

각이 선명한 네모 기둥과 휘어진 자연목, 가는 통나무 기둥들이 뒤섞인 복잡한 목구조를 볏짚을 섞은 아라키다 흙벽이 하나로 이어 준다. 이제는 좀처럼 보기 힘든 방식이다. 윗부분 일부를 비워 가는 격자를 끼워 넣어, 바깥에서 빛이 스며들게 한 곳도 있다. 그야말로 「음예예찬(陰翳礼讃)」의 세계로 빛과 어둠의 대비를 중시하는 일본 전통 미감이 고스란히 살아 있다.

정석 자리인 칸쓰케바는 한 단을 높여서 네누리를 댄 돗자리 석 장을 깔고 그 곁을 카운터가 둘러싸고 있다. 연한 남색 방석이 놓인 통나무 의자가 네 개, 두 개씩 놓여 있다. 네모진 방 상단은 둥근 나무로 만

숯불에 걸린 쇠 주전자를 보면서 조용히 마신다. 주인은 용무가 없을 때는 조용히 무릎을 꿇고 앉아 있다.

든 긴 선반 벽으로 감싸여 있어 특별한 느낌을 더한다. 중앙에는 이로리가 설치되어 있고, 굵은 대나무로 된 갈고리가 위에서부터 내려와 있다.

주인이 앉는 자리 뒤쪽의 윗단에는 신단이 있고, 그 아래 얕은 선반에는 흰 도쿠리가 층층이 늘어서 있다. 오른편에는 다시 한 단 높은 곳에, 청주 '하쿠타카(白鷹)'의 짚으로 싼 네 말들이 술통이 놓여 있는데, 다소 어두운 실내에서 이름 그대로 하얗게 빛나며 주인공처럼 자리를 지키고 있다. 이처럼 단정하고 격조 높은 술 데우는 자리는 좀처럼 보기 어렵다.

술은 따뜻하게
조용히 술과 마주할 때 진정한 멋을 느낀다

자, 이제 자리에 앉아보자. 카운터의 길게 뻗은 자리에 앉으면, 등 뒤의 쇼지 창 너머로 바로 거리가 보인다. 꺾여 들어오는 동선 덕분에 안쪽 깊숙이 들어온 느낌이 들지만, 완전히 닫힌 밀실은 아니다. 이곳이 어디까지나 '동네의 이자카야'임을 다시금 깨닫게 된다.

화로를 마주하고 사무에 차림으로 단정히 앉아 있는 주인 가메야마 무쓰오 씨는 3대째 주인이다. 오래 써온 쇠주전자 아래 화로의 재는 말끔히 고르게 정리되어 있고, 불집게는 가지런히 놓여 있다. 옆에는 숯바구니, 행주를 덮은 주석제 치로리, 그리고 술잔을 올려두는 작은 선반이 마련돼 있다.

특히 재에 묻어 놓은 도코〔긴 화로 속에 두는 구리나 쇠로 만든 물 끓이는 단지〕가 독특한 모습이다. 세 개의 구멍을 「V」자 모양으로 연결하고 그 「V」 안에 새빨갛게 달군 비장탄 숯불을 세로로 세운다. 먼저 주석 치로리(술을 데우는 용기)를 도코에 담그고 적당한 온도를 손가락 바닥 쪽으로 확인한 다음 빈 도쿠리를 도코 안에서 데우고 치로리에 있는 술을 도쿠리에 따라야 비로소 손님에게 제공된다. 술 데우는 일이 다 끝나면 도코의 뚜껑을 덮고, 마치 좌선하듯 무릎에 손을 얹고 움직이지 않는다. 손님에게 직접 말을 거는 일은 없다. 카운터가 가득 차면 한 명 정도는 가장자리에서 다다미로 올라가 주인 옆에서 이로리를 바라보며 네모난 쟁반에 술을 마시게 한다고 들었는데 그 자리야말로 특별한 자리일 것이다.

그렇게 데운 술은 한없이 온화하다. 술은 '하쿠타카(白鷹) 혼조조' 단 한 가지뿐. 맥주도, 소주도 없다. 기본은 따뜻한 술이며, 차게 마시고 싶다고 하면 "상온으로 드셔도 괜찮으시겠습니까"라는 말을 듣게 된다. 냉장고가 없던 시절에는 술을 차게 마시는 문화 자체가 없었다. 시대극에서 "술, 차게 해도 돼"라는 말은 본래는 데워 마셔야 할 술이니, 이번에는 번거로운 수고를 덜어도 된다는 뜻이었다.

술잔은 허리가 높은 잔받침 위에 올려진다. 평평한 접시형 잔받침은 가끔 보지만, 이곳의 치솥 모양 잔받침은 매우 드물다. 도쿠리는 오랫동안 써서 모서리가 둥글어진 '이세토'라고 불도장이 찍힌 작은 나무판 위에 놓인다. 이 한 벌의 차림새에서는 무가(武家) 사회의 술자리 격식이 느껴진다.

산뜻한 붓글씨로 적인 메뉴판에는 다음과 같은 안주들이 있다. 냉두부와 따뜻한 두부, 낫토, 미소 덴가쿠〔두부·곤약·토란 등을 꼬치에 꿰어 된장을 발라 구운 요리〕, 우루메 마루보시〔통째로 말린 청어의 일종〕, 다타미이와시〔정어리 새끼를 김처럼 붙여 말린 포〕, 에이히레〔가오리 지느러미를 말려 구운 안주〕, 가와하기〔쥐치의 일종〕, 쿠사야 건어물, 호타루이카 구로즈쿠리〔반딧불오징어를 먹물로 절인 도야마의 특산 젓갈〕, 메뚜기, 명란젓, 이타와사〔판자 모양 가마보코를 얇게 썰어 와사비·간장을 곁들이는 요리〕, 시오카라〔오징어 젓갈〕, 다이와타〔도미 내장 젓갈〕, 멍게 젓갈, 굴젓, 계란말이, 오신코〔야채 절임〕. 예전에는 말하지 않아도 이치주시사이〔국 1가지 + 반찬 4가지로 구성된 일본 전통 상차림〕가 나왔고, 매달 15일과 말일에는 메밀국수가 제공되었다.

여기에는 난방도 냉방도 없으며, 겨울에는 석유난로를 놓고 여름에는 부채를 건네준다. 벽에 걸린 글씨, 고요한 경지를 찾

주인의 등 뒤에는 도쿠리, 술잔 받침대 컬렉션이 있다.

운치 있는 천장과 벽 등의 정경. 가게 안 곳곳에 고집스럽게 추구하고 있는 멋은 몇 번을 방문해도 그 깊이가 있다.

는다는 뜻의「희정(希静)」은 술은 조용히 마셔야 한다는 초대 주인의 글씨이다. 목소리가 큰 손님은 "조용히 해주세요."라고 주의를 받게 된다. 나 역시 테이블 좌석에 세 명이 앉아 있을 때 목소리가 커져서 주인에게 주의를 받았다. 주인이 앉은 자리 뒤에 놓여 있는 고리는 소리나는 방울로 좌석을 차지하면 손님에게 전달되며, 추가 주문 시 이 방울을 흔들면 주인이 나와서 주문을 받는다. "여기요."와 같은 큰 목소리는 금기다.

이곳을 지은 초대 주인인 조부는 전쟁으로 불타버린 후 개축을 시작하며 기본적인 재료 수집부터 철저하게 건축에 공을 들였다. 겉으로 보이는 곳뿐만 아니라 곳곳에 한 치의 빈틈도 없이 수납이 잘 되어 있고 "여기도 있어요."라고 하며 문을 열면 의외의 곳에 수납공간이 마련되어 있다. 올라가는 턱을 길게 낸 좌식 공간은 높게 잡은 단차가 공간을 입체적으로 만든다.

좌식 공간의 큰 방은 가는 격자문을 단 상인 숙소풍이고, 옆의 작은 방은 도코노마를 두고 족자를 거는 무가풍이다. 어느 쪽이든 문을 닫으면 은밀한 대화가 가능하고, 쇼지를 열면 가게와 하나가 되어 분위기를 함께 즐길 수 있다. 차분한 어른의 술자리, 작가 인터뷰나 대담에 이보다 어울리는 좌식 공간은 없을 것이다.

현관 오른쪽의 작은 문을 나서면, 징검돌이 이어진 안뜰이 펼쳐진다. 물 그릇에는 고요히 물이 고여 있고, 그 옆에는 석등이 세워져 있다. 안뜰에는 푸른 팔손이 나무가 심어져 있고, 오른쪽에 미닫이 문으로 된 차 모임용 별실이 있다.

객실 외부에 걸린 현판은 화가인 슈쿠산포가 달필로 쓴「술로 마음을 씻는 동굴」로 이곳을 가장 잘 표현한 말이다.

이 가게는 고급스러운 장식이나 교토풍의 세련됨을 지향하지 않으며 시골집의 흙벽이나 시골 대저택의 히라도마, 무사풍의 객실, 다실의 풍류를 도입한 건물은 어디까지나 관동지방의 농가, 상인, 무가에 뿌리를 두고 있는 듯하다. 그래서 예전과 마찬가지로 사시미와 같은 고급 안주 대신 소박하게 술잔을 기울인다. 그러다 보면 어느새「고요함」이 얼마나 귀한 것인지, 현대에 있어서 얼마나 귀중한 것인지를 깨닫게 된다. 그리고 술의 맛이 더 깊어지는 것을 느낄 수 있다.

일본 이자카야 유산에 이보다 더 어울리는 가게는 없다.

OUTLINE
점포개요

FOUNDED | 창업

창업은 쇼와 12년(1937). 초기의 건물은 전쟁으로 타버렸고, 현재의 건물은 쇼와 23년(1948)에 재건한 것이지만, 그래도 지은 지 70년이 넘었다. 초대 주인이 니가타 현 나가오카 출신이었기 때문에 도쿄에서는 구할 수 없었던 원목을 구할 수 있었다고 한다.

HISTORY | 역사

현재의 주인인 가메야마 무쓰오 씨는 3대째로 선대로부터 물려받은 지 30년이 넘는 세월이 흘렀다. 초대 주인인 조부 도시치 씨는 쇼와 초기에 자주 다니던 니혼바시의 이자카야를 본떠서 가게를 시작했다. 냉난방은 없고, 여름에는 부채로 시원하게, 겨울에는 석유난로로 따뜻하게 지낸다.

❶ 선반
이로리 앞에 앉은 주인의 뒤에는 몇 단의 선반이 있고 도쿠리와 술잔이 가지런히 놓여 있다.

❷ 창문
창문에는 발이 내려져 있다. 시골 대저택처럼 평평한 히라도마가 펼쳐져 있고, 운치 있는 시멘트 바닥이 기다리고 있다.

❸ 카운터
카운터 중앙에 쇠 주전자를 얹은 화로가 있다. 작무의[1]를 입은 주인이 조용히 술을 데운다.

[1] 작무의(作務衣): 일본의 전통 작업복으로, 한국에서는 '사무에'라는 이름으로 더 널리 알려져 있다.

❹ 이로리
구리로 된 술 데우는 기구 도코 가운데 숯불이 붉게 빛난다. 술 데우는 도코 안에 도쿠리를 넣어 따뜻하게 데운다.

CUSTOMER | 고객층

창업 당시에는 문인들이 많이 찾았다. 가구라자카라는 지역 특성상 여성과 외국인 손님도 적지 않다. 가게 안은 조용하고, 큰 목소리로 대화하는 사람들도 가게 안의 고요함에 이끌려 점차 목소리 크기를 줄인다고 한다.

FILE

창업	쇼와12(1937)년
지역	도쿄도 신주쿠구
창업 시 형태	이사카야
구조	목조 2층 건물
점주	가메야마 무쓰오(3대째)

시골 저택풍을 살리면서 세련미를 더한 가게 내부

입구에 맞닿은 도마(현관과 연결된 흙바닥 공간)가 있는 다다미방. 짚을 가공해 넣은 흙벽. 오른쪽 꽃을 놓아둔 작은 창문은 밖에서 빛이 들어온다.

정면 다다미방 내부. 도코노마가 있고 작은 창문 밖에는 꽃이 있다.

정면 다다미방 좌측은 개방적인 다다미방이다.

귀중한 술잔 받침대를 비롯한 고급스러운 도구들

술은 3구의 구리 도코 안의 끓는 물에 치로리를 담근 후, 따뜻하게 데워진 도쿠리에 부어 손님에게 전달된다.

도코에 담근 주석 치로리 온도는 손가락 바닥으로 확인한다. 온도가 적당하면 앞에 놓인 도쿠리에 옮기고, 그렇지 않으면 다시 도코에 담근다.

둥근 도쿠리에서 술을 따르기 위해 술잔 받침대 위에 술잔을 놓고 자작으로 따른다. 도쿠리는 흰 목재의 컵받침 위에 둔다.

술잔 받침대 컬렉션 중에서 왼쪽은 에도시대의 것이고, 오른쪽은 메이지시대의 구타니야키(일본 이시카와현 가가시 구타니 마을에서 생산되는 도자기. 녹색, 노란색, 빨간색, 보라색, 파란색 등 5가지 색상을 주로 사용하는 도자기로 유명하다).

DATA 이세토	도쿄도 신주쿠구 가구라자카 4-2 / 03-3260-6363 / 월~금 (17:00~21:30), 토·일·공휴일 휴무

미인화 포스터 [미인이 포스터가 된다]

여성의 미를 강조하여 그린 그림. 중국에서는 당송시대의 것이 유명하며 일본에서는 우키요에에 많다. 우키요에 미인화는 처음에는 창녀를 그렸지만, 이후 게이샤, 찻집의 여인, 젊은 여성, 상점의 여인 등도 소재가 되었다.

—『백과사전 마이페디아』(헤이본샤)

과거에는 주류회사 등에서 대형 미인화 포스터를 만들어 제공하기도 했다. 사진 인쇄가 발달하면서 스타 여배우로 만들어지기도 했는데, 꼭 부활했으면 좋겠다. 지금은 수집 아이템이 되었다.

가게를 빛나게 하는 미인화 포스터.
1-7. 도쿄「가기야」P.94
8. 도쿄「신스케」P.138
9. 도쿄「사이토 사카바」P.166
10. 도쿄「기시다야」P.124
11-12. 시즈오카「다카노」P.210

7 8 9 10 11 12

大衆
斉藤酒場
大衆 斎藤 酒場
酒類メニュー
清酒 ¥220～
都内では珍しい
水冷方式です!!!
無濾過純米
生原酒
開運
¥500～

斉藤酒場 사이토 사카바

대중 술집의 진정한 모습

도쿄도 기타구 가미주조

낡고 화려하진 않은 서민 사람 냄새
가득한 동네, 기타구 가미주조.
그곳엔 쇼와 30년대 공기가 농밀하게
배어있다. 문을 여는 순간,
천연목으로 만든 테이블,
후지산을 본떠 만든 후지즈카에 압도되고
신기한 법칙에 의해 손님은 끊임없다.
도쿄 최고의 이자카야 여주인이
맞이해 주는 곳에서
저마다 자신의 자리를 찾고
이곳에서의 시간을 즐길 뿐.
「사이토 사카바」는 오늘도 활기차다.

완만하게 경사진 배 바닥 모양의 천장에 쓴 통나무는 초대 주인이 힘들게 찾아낸 벚나무였다.
그 품격과 아래의 투박한 테이블과의 대비가 흥미롭다.

옛 도쿄의 흔적을 깊이 간직한,
정성이 깃든 주점

도쿄도 기타구 가미주조는 옛 도쿄의 평범한 모습을 아주 잘 간직하고 있는 동네가 아닐까 싶다. 주택가도 아니고 상공업지도 아닌 별다른 특징이 없는 도쿄의 동네는 주목받지 않아서 옛날 그대로의 모습을 조용히 간직하고 있다.

그렇다고 해서 한산한가 하면 그렇지도 않다. 작은 단선 선칠역 앞에서 갑자기 시작되는 상점가는 갈래길로 끝없이 이어지고, 주조(十条)에는 이런 상점가가 모두 11곳이나 있다. 그곳에는 항상 사람들이 있다. 이곳은 사람이 살고 생활하는 동네다.

역 바로 앞 「주조 긴자 쁘띠로드」 입구에 있는 「사이토 사카바」에 처음 들어갔을 때 이런 오래된 이자카야가 아직 있었나 싶을 정도로 압도당했다. 창문에 짜인 격자에서 은근한 멋이 드러나는 목조의 2층 건물. 당당하게 걸린 커다란 남색 포렴에는 '대중주점 사이토(大衆酒場 斉藤)'라 적혀 있다. 꾸밈없는 '술집(酒場)'이란 말이 참 좋았다.

안으로 들어서면 꽤 넓고, 들어온 순간, 압도적인 쇼와 30년대(1950년대 후반)의 공기가 살아 있다. 얕은 배 바닥 모양의 천장 판자는 거무칙칙하고, 알전구는 초등학생 때 처음 형광등이라는 것을 보았을 때의 느낌이다. 오래된 현판은 오른쪽 글씨 쓰기로 〈운류 마사무네(雲龍正宗) / 야마야 스즈키 본가 양조 / 사이토 주점 전매〉라고 적혀 있다. 벽에 〈사이토 사카바님께〉라고 적힌 가로로 긴 거울은 준공 시 선물로 받은 옛 이자카야의 특징이며, 그 아래 여러 사람

장인에게 만들게 했다는 후지산 용암으로 만든 후지즈카. 운을 빌며 동전을 넣는 사람도 있다.

이 앉을 수 있는 긴 의자에는 작고 얇은 방석이 놓여 있다.

눈길을 끄는 것은 다섯 개의 탁자 모두가 형태가 서로 다른, 천연 거목으로 만든 대형 테이블이다. 커다란 혹이 솟아 울퉁불퉁하게 뒤틀린 부분을 무리하게 두껍게 세로로 잘라낸 탓에, "이걸 정말 탁자로 쓰겠다는 건가?" 싶어지는 Y자 형태도 있고, 마치 시모키타 반도를 닮은 모양은 도대체 어디에 자리를 잡아야 할지 잠시 고민하게 만든다.

커다란 구멍이 난 부분을 메운 것도 있고, 그런 판재들을 꺾인 형태로 이어 붙여 놓은 것들도 있다. 이쯤 되면 탁자는 더 이상 '정돈된 네모나 동그라미'라는 개념을 벗어난다. 극단적으로 비정형적인 이 탁자들의 상판에는 윤기가 오른, 구불구불한 나이테가 살아 있고, 이를 두고 보면 난폭한 나무를 억지로 길들인 것 같기도 하고, 그럼에도 불구하고 아름답다고 해야 할지 망설이게 된다. 게다가 이 테이블들은, 지름 40센티미터에 이르는 거목의 가지가 갈라진 부분을 통째로 잘라 그대로 다리로 삼았다. 그리고 마치 다시 대지에 심기라도 하듯, 콘크리트 바닥에 단단히 고정해 조금도 흔들리지 않는다.

또 한 가지 신기한 것은 안쪽 부엌 입구 앞에 있는 후지산 용암으로 만든 후지즈카〔후지산을 본떠 만든 인공산〕샘물이다. 바닥 앞쪽으로 튀어나와 배식대 아래쪽을 침식해 수로로 흐르고 있는 것이다. 예전에는 얕은 물그릇에 물이 흘렀고, 사람들은 운을 빌며 그 안에 동전을 던져 넣었다고 한다. 그 왼쪽은 구불구불한 옹이가 많은 천연 나무를 연결해 판자벽에 붙였다. 도쿄에는 후지산 신앙의 대용으로 용암을 운반해 쌓은 후지즈카가 곳곳에 남아 있는데 그것을 가게 안에 설치한 것이다. 큰 테이블도 그렇지만, 이와 같은 집요함은 가게의 장식에 그치지 않고, 애호가의 집념을 느끼게 한다.

주방 입구에 걸려 있는 다소 빛바랜 니혼사카리(일본양조회사)의 포스터는 화가 나카무라 후세쓰가 그린 것으로 「일두시백선(一斗詩百選)」이라고 불리는 술의 시인 이백이 취한 채 궁중에서의 환영을 받으며 나오는 장면이다. 전쟁 이전 술집 시절부터 이곳에 걸려 있던 것으로, 쇼와 7년생인 선내 여주인이 어린 시절부터 보아 왔다. 청소 도중 뒷면에 쇼와 초기의 신문이 끼워져 있는 것을 발견하고, 소중한 것이라 여겨 그대로 남겨 두었다고 한다. 니혼사카리 본사를 방문했을 때 이 원화가 장식되어 있었고, 포스터에 대해 이야기했을 때 그쪽에서 그것을 양도받을 수 없겠느냐고 물어왔다.

배식대 위 선반에는 장수를 뜻하는 한자 수(壽)를 부조로 새긴, 사이토 주점 이름이 들어간 주홍색 축하 술통 두 개가 놓여 있다. 옆에는 칠복신이 있으며, 주방 입구에는 「창업 쇼와 3년 사이토 사카바」라는 남색 포렴이 걸려 있다.

가게 안 왼쪽 모서리 위 삼각 선반에는 작은 플라스틱 라디오가 놓여 있는데 쇼와 30년대 새로 단장하면서 손님이 가져다 준 것이다. 나쇼날(National)사의 중파·단파 2밴드 라디오로, 앞면에는 당당하게 "High Sensitivity(고감도)"라고 적혀 있고, 옆으로 미끄러지듯 움직이는 주파수 다이얼은 이제는 보기 힘든 옛 디자인 그대로다. 지금은 소리가 나오지 않지만, 그래도 소중히 간직하고 있다

아직 텔레비전이 없던 시절 손님들은 이곳에서 라디오를 들으며 술을 마셨던 걸까? 방송은 신궁 수영장의 「일미 대항 수상 중계」나 「세 개의 노래」, 「이주의 명성」, 「이야기의 샘」, 그리고 「재치 교실」이지 않았을까.

배식대 위 선반에는 쇼와 3년 창업을 기념하는 축하 술통이 장식되어 있다.

낡은 가게 안에는 맥주잔과 빈 병에 가득 채운 다양한 생화가 현역 가게임을 증명하듯 각 테이블과 곳곳에 놓여 있다. 이곳에는 전후의 한 시대가 살아 숨 쉬는 색채 그대로 남아 있다.

각자의 거처가 되어 일상에 스며들다

사이토 사카바는 쇼와 3(1928)년 「사이토 주점」에서 근무하던 요시다 히로지 씨가 술집을 시작하면서 문을 열었다. 전쟁이 시작되면서 남자들이 모두 속출되자 히로시 씨도 출정해서 만주에서 쉽게 돌아올 수 없었다. 어릴 때부터 가게를 돕던 장녀 이미코 씨는 여자 혼자서도 할 수 있나고 생각하고 다치노미(카운터에서 의자 없이 서서 마시는 곳)를 시작했다. 전후 술이 없어 팔지 못하는 어려움을 겪어야 했고, 마침내 쇼와 30년(1955) 무렵에 지금의 가게가 만들어졌다. 재건할 때 히로지 씨는 가게 만들기에 심혈을 기울여 2층까지 이어지는

가게 안에 있는 포렴이나 기증품인 이름이 새겨진 거울 등을 통해서 지금까지의 가게 역사를 느낄 수 있다.

통기둥, 느티나무 테이블, 후지산을 본뜬 작은 흙언덕(후지즈카), 그리고 대나무 홈통에 물이 차면 '코통—' 하고 울리는 시시오도시 장치까지 설치했다고 한다.

이미코 씨는 90살이 되어 큰아들 부부에게 가게를 맡겼다. 예전에 내가 갔을 때 "오타 씨, 어서 오세요."라며 하얀 상의 앞에서 손을 모으며 다가왔다. 주문을 하면 "다이콘니〔일본식 무조림〕 말이지요. 요즘 무조림이 맛있어요."라고 말씀해 주셨다. 누구에게도 웃음을 잃지 않는, 어머니라고 부르고 싶어지는 이미코 씨를 「도쿄 최고의 이자카야 여주인」이라고 쓴 적이 있다.

가게에서 일하는 사람들은 모두 여성이다. 내 단골자리는 구석 라디오 아래인데, 무언가 주문하려고 고개를 들면 반드시 저쪽에서도 나를 보고 있어 눈이 마주치는 것이 신기했다. 물어보니 "주문하는 사람은 그 앞에 있는 메뉴판을 보고 있기 때문에 그 사람을 보고 있으면 내 쪽을 쳐다본다"는 말을 듣고 이런 세심한 배려에 감탄한 적도 있었다.

4시 30분 개점 시간을 기다리지 못하고 손님들이 들어와 막차가 끊기기 직전까지 가게는 만석이지만 「사이토 사카바의 법칙」에 따라 두 명이 나가면 두 명이 들어오고, 세 명이 나가면 또 세 명이 들어오는 식으로 잘 돌아가고 있다. 밤 9시가 지나도 손님이 계속 들어오는 가게는 드물다. 니가타에서 매주 오는 사람, 출장만 있으면 꼭 오는 도야마 단골, 하치오지에서 일주일에 두세 번 오는 사람.

물론 현지 손님도 있다. 중장년층 부부가 와서 "집에서 만들기 귀찮아서 여기 오지." "아, 나도 그게 좋아." "어이 술 더, 아니지, 집인 줄 알았어."라고 말하며 웃는다.

흰 지팡이를 짚은 시각장애인 손님은 매일 오는 단골로, 후지즈카 앞의 늘 같은 자리를 비워두는데 못 오는 날에는 전화까지 주기 때문에 그 자리가 헛되이 비는 법이 없다. 나도 몇 번 본 적이 있는데, 망설임 없이 들어와 아는 손님에게 "어, 안녕하세요" 하고 인사하고 "오늘은 뭐가 있죠?"라며 사시미를 묻는다. 술도 제법 드시는 분이다. 술집의 소란스러운 기척이 그에게는 더없이 편안한 자기 자리인 듯하다.

가게 안에는 시키시〔와카나 하이쿠를 쓰기 위한 사각의 두꺼운 종이〕나 가세를 그린 스케치화들이 가득하다. 모두 각자가 자발적으로 가져온 것들이라고 한다. 산이나 꽃 사진 등 가게와 전혀 관계없는 것들도 있지만, 각자 자신만의 공간을 만들어 놓은 것이다.

작가이며 뮤지션인 나카지마 라모 씨, 배우인 나기라 겐이치 씨와 같은 유명한 이자카야 팬들이 많고, 사와다 겐지〔가수, 배우〕씨는 아내〔배우인 다나카 유코〕와 함께 왔고, 오자키 기요히코 씨의 정해진 자리가 나와 같다고 한다. 동행한 소설가 다테마쓰 와헤이 씨는 「흐르는 물은 앞을 다투지 않는다(流水不争先)」는 시키시를 남겼다. 어떤 관방 부장관이나 일본 시인 클럽 사람들, 대학 교수들도 있는 것 같지만, 익숙한 얼굴이라도 이름을 묻지는 않는다. 한 단골이 계산할 때 긴 출장으로 한동안 못 온다고 해서 어디로 가느냐고 물었더니 '남극.'이라고 대답해 놀랐다. 그 해의 월동대장이었다고 한다. 각자 복잡하고 기묘한 형태의 테이블에 자신만의 자리를 가지고 있다.

장남 부부는 말한다. 이곳에서 손님들이 보내는 일상이 아무 일 없는 듯 계속되는 것, 그것이야말로 가장 소중한 일이라고.

남겨두고 싶은 건전한 이자카야의 풍경

이제 주문을 해보자. 안주는 시메사바〔고등어 초절임〕, 마구로 부쓰기리〔참치의 머리·꼬리·뼈 주변 등 모양이 일정하지 않은 부위를 큼직하게 썬 것〕, 오크라 낫토, 그리고 서비스로 나오는 구라게 사시미〔해파리 회〕 등이 있으며 가격은 대부분 300엔대다. 또한 가즈노코〔말린 청어알〕, 락교, 닌니쿠 쇼유즈케〔마늘 간장절임〕처럼 술꾼들이 특히 좋아하는 안주도 준비되어 있다. 부 조림, 도리고보니〔닭과 우엉 조림〕, 가보차니〔단호박 조림〕, 마구로니〔참치 조림〕, 카레 고로케는 집밥처럼 따뜻한 맛으로 인기가 높다. 혼자 온 단골손님들은 말없이 "세트"라고만 주문하면, 알아서 적절히 차려주는 단골 전용 메뉴가 있다.

이 가게의 인기를 듣고 온 것으로 보이는 젊은 남자는 자꾸만 가게 안을 둘러보고 있었는데 가게 여성의 목소리에 안심했는지 옆자리에 앉은 초로의 그룹과 이야기를 나누기 시작했다. 나이 차이가 약 30살 이상인 젊은이와 백발 노인이 이야기하는 모습은 보기 좋다. 밤 9시를 넘어 "미안, 늦었어."라며 들어온 정장 차림의 여성은 다른

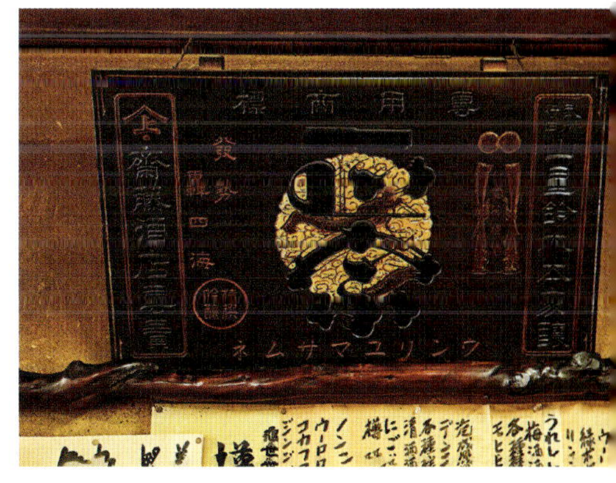

반대편에서 본 가게 안. 안쪽 달력 뒤에 라디오가 있다. 오른쪽 벤치석 등받이 뒤로는 거울이 길게 이어진다.

직장에서 근무 중인 남편과 자주 이곳에서 만나는 모양인지, 익숙하게 오늘 있었던 일을 이야기한다. 여기선 땅에 발을 딛고 살아가는 건전함이 느껴진다.

이곳에는 일본이 전후의 혼란에서 벗어나 사회 분위기가 안정된 쇼와 30년 무렵의 모습이 그대로 남아 있다. 집도 생활도 여전히 힘들지만, 밖에서 술 한 잔 할 수 있을 정도의 여유가 생겼다. 무엇보다도 더 이상 전쟁은 절대 일어나지 않을 것이고, 안심하고 앞을 향해 살아가면 된다는 희망이 있었다.

최근 사이토 사카바의 인기는 더욱 높아졌다고 한다. 그곳에는 옛날 그대로의 모습이 있다. 이것이 바로 이자카야의 유산이다.

이 미인화 포스터는 부채 부분을 오려내 다른 해녀 그림 위에 겹쳐 붙였다. 선대의 재치가 돋보인다.

大衆
斉藤酒場
大衆酒場
斎藤
TEL 3906-6424
風来坊

OUTLINE
점포개요

FOUNDED | 창업

쇼와 3년(1928)에 사카야로 개업을 했고, 사이토 사카바라는 가게 이름은 가업승계 형식으로 이어받게 되었다. 종업원 등 남성들은 징용으로 사라졌지만, 술의 반입은 가능했기 때문에 가게에서 술을 마시게 한 것이 이자카야의 시작이었다.

HISTORY | 역사

초기에는 「꼬마」라 불리는 어린 종업원들이 동네에 많이 살면서 지역 곳곳에 배달을 다녔다. 창업자의 장녀인 이미코 씨는 가게를 물려받기 위해 선대로부터 엄격하게 교육을 받았다고 한다. 이자카야로 개업한 것이 전쟁 중인지, 전후인지는 확실하지 않지만, 지금의 건물은 1955년부터 사용되었다.

CUSTOMER | 고객층

만취한 손님이나 함부로 남에게 시비를 거는 손님에게는 여주인이 단호하게 의사를 전달한다. 여주인은 선대로부터 「매일 오는 단골손님을 소중히 여기라」는 말을 들었다고 한다. 최근에는 여성과 젊은 층 외에도 부부나 연인끼리 오는 손님도 늘고 있다고 한다.

FILE

창업	쇼와 3(1928)년
지역	도쿄도 기타구
창업 시 형태	사카야, 이자카야
구조	목조 2층 건물
점주	3대째

❶ 창문·메뉴판
창살에서는 가게 안의 불빛이 새어 나오고 있다. 가게 밖에는 메뉴판이 붙어 있어 그 계절, 그 날의 제철 메뉴를 확인할 수 있다.

❷ 목조 2층 건물
2층도 격자형 구조로 되어 있으며, 투박한 가게 구조에 사이토 사카바의 간판이 시크한 분위기를 연출한다.

❸ 포렴
창업 쇼와 3년이라고 쓰여진 포렴에는 대중 주점이라고 크게 적혀 있다. 연륜이 묻어나는 짙은 남색 포렴이다.

선대가 고집한 인테리어가 살아 있다。

테이블 다리는 거목의 원목을 땅에 고정시켰다. 스모 선수가 밀어도 쓰러지지 않는다.

보라, 이 느티나무 판자 변형 테이블을! 도대체 어디에 앉으면 좋을까.

이 테이블은 시모키타 반도(도끼와 비슷해서 도끼 반도라고도 한다)인가?

옹이의 큰 구멍을 막아서라도 사용하고 싶은 집념.

깊은 맛이 느껴지는 가게에 남아있는 역사적인 물건들

화가 나카무라 후세쓰의 니혼사카리(일본양조회사) 포스터. 시인 이백이 술에 취한 채 운반되고 있다.

술집이 아직 '사카야(술가게)'였던 시절, 술의 분량을 잴 때 사용하던 '마스〔계량용 네모나무잔〕.

당시 사용하던 것으로 원래 금색이었던 삿포로 맥주 쟁반.

가게 새 단장을 위해 손님이 가져온 라디오. 라디오를 들으며 술잔을 기울이던 시절이 있었다. 이 가게의 보물이다.

DATA 사이토 사카바	도쿄도 기타구 주조 2-30-13 / 03-3906-6424 16:30~23:00, 일·공휴일 휴무

魚料理
魚料理
らんまん

らんまん
란만

카운터에서 사계를 맛보다

도쿄도 나카노구 나카노

젊은이들과 학생들로
나날이 활기가 넘치는
나카노의 거리에서
상인 정신을 느낄 수 있는
견고한 간판 건축.
마음을 먹고 문을 열면
솥에서 올라온 김으로
마치 차실에 들어온 듯한
분위기.
유리 케이스 안 멋진 활어늘.
눈썰미 좋은 요리사의
솜씨가 빛나는 곳.
제철 생선과 술을 기대하며
올해도 「란만」을 찾는다.

간판 건축의 술집에서 즐기는 제철 음식과 술

십여 년 전 나카노 북쪽 출구의 인기 거리인 쇼핑가에서 문득 3번가 골목으로 들어가 「란만」이라는 간판 건축을 발견했을 때는 놀랐다.

간판 건축이란 쇼와 초기의 간토 대지진 복구 시기에 많이 지어진 상점 건축으로 일반적인 기와 지붕 주택의 정면을 하나의 간판처럼 사용하여 서양건축의 사각형 건물처럼 만든 것이며, 대부분은 표면을 금속 동판으로 마감하였다. 금속은 화재를 방지하고 동은 가장 저렴했기 때문이다.

이 건축 양식은 동네가 오래된 네즈, 혼고, 간다 일대에서 자주 볼 수 있었지만, 신흥 상업지로만 여겼던 나카노에서 그 모습을 마주하니 시간여행을 한 느낌이었다.

그 후 다시 와서 외관을 자세히 살펴

보았다. 2층 건물로 시간이 지나 녹청색이 된 동판은 직사각형을 나란히 붙인 일자 지붕이었다. 그 위쪽 2층 베란다의 난간이 되는 가로 변은 마름모꼴로 이어 붙였고, 두 칸씩 건너서 요쓰비시〔마름모 모양의 문양을 4개 모아 더 큰 마름모를 구성〕 문양을 넣었다. 또 2층 벽 상단에는 에도시대 군대 신센구미의 깃발을 연상시키는 날카로운 삼각형 무늬가 지그재그로 이어진다. 간판 건축 특유의, 구리판 붙임에 장인의 솜씨가 응축된 장식이다.

현관문을 열고 들어서면 오른쪽에 흰 나무 카운터 좌석 여섯 석 그리고 왼쪽에 있는 한 단계 높은 곳에 마련된 좌식 방이 눈에 확 띈다.

그곳은 다다미가 아닌 나무판으로 마감된 마루 공간이다. 둥근 기둥은 적갈색이고 처마는 거친 편백나무의 껍질로 지붕을 이었다. 난간은 산에서 막 베어온 듯한 뒤틀린 가지를 가로질러 놓고, 구멍 난 판자를 끼워 넣은 뒤 둥근 나무의 혹까지 숨김없이 드러내 이곳이 자연을 길들이지 않고 받아들인 공간임을 말해준다. 좌식 공간 위 천장은 가는 나무를 엮은 격자에 갈대 발을 바둑판처럼 덧댄 구조로, 그 아래에는 정교한 격자무늬의 쇼지 행등이 부드러운 빛을 떨어뜨린다. 카운터 쪽의 천장은 섬세한 그물코 모양으로 지붕을 얹고, 그 아래에는 투박한 철망 행등이 내려와 마치 밤의 초소를 떠올리게 한다. 이처럼 공간마다 다른 천장과 조명이 겹치며, 전체적으로는 단정하고 세련된 에도의 멋 위에 산골집의 야성미를 더한 느낌이었다.

눈길을 끄는 것은 카운터 끝, 바닥이 한 단 높아진 자리 한켠 나무 격자 안에 단정하게 놓인 철제 화로다. 작은 창을 통해

나카노 쇼핑몰 옆 일대에 낡고 오래된 동으로 된 간판 건축물이 갑자기 나타난다.

새빨갛게 타오르는 숯불이 보이고, 올려놓은 찻주전자에서 김이 모락모락 피어오른다. 부속물인 찻주전자의 고리와 대나무 손잡이가 달린 국자도 옆에 있다. 그 한 구석을 위에서 보면, 얇은 대나무 소쿠리 두 개를 마주보고 제등처럼 만든 전등이 은은하게 비춰 손님을 맞이하는 다실처럼 보인다. 찻주전자는 오랜 세월을 사용하여 멋스럽다.

"이건 오래된 거예요."라고 말하는 사람은 요시타니 스미에 씨다.

스미에 씨의 어머니 쪽 조부는 와세다 거리에서 술집을 했고, 조모는 여기에서 스시집과 밀크홀〔메이지, 다이쇼 시대에 우유와 간단한 음식을 제공하던 음식점〕을 운영했으나 쇼와 39년(1964)에 이곳을 생선 요리집으로 바꾸고 「란만」이라고 이름을 붙이고 딸의 남편, 유타카 씨에게 맡겼다. 가게 이름은, 당시 아키타 지방술 '란만(爛漫)' 양조장의 아들이 할아버지 집에 하숙하게 된 인연으로 그 술을 들여놓게 되었고, 그 이름을 그대로 딴 것이다.

건물은 다이쇼 11년(1922)에 지어졌고 쇼와 4년(1929) 무렵에 동판지붕으로 개축했다. 전쟁 중에는 옆의 아라이야쿠시 사원까지 소이탄이 떨어졌지만 이 집은 기적적으로 남았다.

「란만」은 생선 요리집으로 계속 이어져 왔으며 유타카 씨는 고령으로 은퇴하고 딸 스미에 씨가 그 가업을 잇기로 하여 3년 전에 건물을 손보기 시작했다. 기초가 되는 마루, 천장을 받치는 들보는 에도 성에서도

제철 생선을 즐기려면 유리 케이스 앞 카운터에서. 특히 겨울철 명물인 「피조개 회」는 일품이다.

그 날 들여온 싱싱한 생선이 유리 케이스에 진열되어 있다. 눈을 부릅뜨고 오늘은 무엇을 먹을까 고민한다.

사용된 소나무로 지진에도 유리컵 하나 떨어지지 않았지만, 내진화를 고려해 왼쪽 입구의 쇼윈도를 없애고 판벽으로 교체했다. 외벽의 동판도 일부를 새로 덮었고, 그 부분만은 아직 붉은 동색이다.

"어떻게 그런 장인을 찾으셨어요?"

"정말 운 좋게 만났어요."

차가마 왼쪽에 놓여 있던, 삼베 직조 무늬를 본뜬 나무문이 달린 차 도구 찬장은 겉모습은 그대로 둔 채, 안쪽을 맥주 보냉용으로 바꾸었다. 전화기는 검은색 전화기 그대로다. 안쪽 마루방은 그대로 두었고, 큰 접시들이 장식되어 있다. 「보이지 않는 곳만 튼튼하게」 손질한 것은 이곳의 아늑함을 기대하며 찾아오는 손님들을 위한 모범적인 리모델링이다.

메뉴판 위에 장식된 가로로 긴 일본화는 금바구니에 담긴 도미다. 도미, 홍어, 복어, 게, 성게, 조개 등의 정밀한 묘사가 훌륭하다. 오래전부터 있었지만 화가 이름을 물어보지 못한 것이 후회스럽다며 웃는다.

그리고 그에 걸맞게 카운터 위 유리 케이스에는 머리와 꼬리가 그대로 붙은 싱싱한 생선들이 줄지어 놓여 있는데 그 모습이 압도적이다. 40년 경력의 조리사 야마모토 요지 씨의 솜씨에 반해 제철 도미와 하모(갯장어)를 최고 상태로 맛보는 모임도 있으며, 그 재료를 들여오는 일이 그의 실력을 보여주는 순간이라고 한다. 또한 '쿠에(능성어)' 코스를 손꼽아 기다리는 단골 자매도 있다고 한다.

나는 이곳에서 〈전어〉에 눈을 떴다. 초절임이 아니라 주문을 받고 나서 스아라이〔요리할 재료를 식초에 담금〕한 후 「V」자

갓포 요리답게 요리사의 솜씨가 돋보인다. 사진 왼쪽은 스아라이한 〈전어〉로 만든 나뭇잎 모양. 오른쪽은 〈피조개〉다. 모두 감탄이 절로 나올 정도로 아름다우며 완성도가 높다.

로 썬 후 「V」자 모양을 겹쳐서 만든 「나뭇잎」은 에도 시대 생선 요리의 멋 그 자체다.

또 하나는 〈피조개〉다. 돗토리 지방에서 나는 제철인 것들로, 통통하게 살이 오른 피조개 껍데기를 열고 그 사이에 담긴 감각적인 선홍색의 살, 내장, 가장자리 살, 조개의 그 싱그러운 향과 단맛에 눈을 감지 않고는 참을 수 없다. 어느새 제철이 되면 이곳에서 〈피조개〉를 주문하는 것이 일

상이 되었다. 또한 겨울철 〈오뎅〉은 신선한 회에 지친 속을 부드럽게 달래주며, 좋아하는 술 「마쓰노쓰카사(松の司)」의 따끈한 기운이 스며든다.

최근 몇 년 동안 나카노는 대학이 새로 설립되거나, 기린 맥주 본사가 이전하는 등 크게 변모하고 있다. 쇼핑몰을 따라 늘어선 세 개의 거리는 모두 대형 술집 거리로 변했고, 외국인 관광객이 오고 환락가로 변한 신주쿠보다 안심하고 술을 마실 수 있는 「신·신주쿠」로 변모했다. 학생들이 늘어나고, 역 앞에서는 남녀 학생들이 「미얀마를 구하자」는 모금 활동을 하며 거리는 한층 젊어지고 활기를 띠고 있다.

이런 동네에 전쟁 전부터 있던 건물에서 천천히 요리와 술을 즐길 수 있는 어른들의 가게가 있다는 것은 정말 감사한 일이다. 아마도 이곳을 지역의 정령이 지켜주고 있는 것은 아닐까.

OUTLINE
점포개요

FOUNDED | 창업

창업은 다이쇼 11년(1922)이다. 밀크홀, 초밥집, 주점을 거쳐 이자카야로 창업한 것은 도쿄 올림픽 개최 해인 쇼와 39년(1964). 가게 이름의 유래는 말할 필요도 없이 아키타의 지역 술「란만」에서 따왔다.

HISTORY | 역사

창업 초기에는 일본술「란만」을 판매하는 제조사의 직원이 상주하며 일했다고 한다. 당시에는 란만과 오니코로시를 주로 제공했다고 한다. 현재 가게를 운영하는 딸 요시타니 스미에 씨는 학생 시절부터 가게에서 일을 도왔고, 접객 등은 '자연스럽게 보고 배운 것'이라고 한다. 40여 년 동안 점장으로 가게를 지켜온 야마모토 요지 씨와 함께 가게를 운영하고 있다.

CUSTOMER | 고객층

카운터에는 나이 지긋한 단골손님들이 많이 차지하고 있으며 최고령으로는 80대도 술을 마시러 온다고 한다. 한편, 최근에는 40대 손님도 늘고 있으며 20대 손님도 간간히 눈에 띈다. 기본적으로 조용히 혼자 술을 즐기는 사람이 많으며 가게 안에서 시끄럽게 떠드는 손님은 주의를 받는다고 한다.

FILE

창업	쇼와 39(1964)년
지역	도쿄도 나카노구
창업 시 형태	이자카야
구조	간판 건축 2층 건물
점주	야마모토 요지

❶ 간판 건축

간판 건축은 간토 대지진 이후 널리 퍼진 상점 건축의 일종이다. 현 건물은 쇼와 초기에 지어진 것이다. 기초는 적송을 사용해 견고하여 3.11 대지진에도 피해를 면했다. 녹청색이 된 동판은 세월의 풍취를 느낄 수 있다.

❷ 철판

벽면은 모르타르 칠을 하거나 동판으로 주로 2층 부분에 디양한 장식을 써서 장인정신을 엿볼 수 있다. 특히 정면 상부에 『히시부키(금속판을 마름모 모양으로 가공하여 한 장씩 겹쳐 지붕을 잇는 공법)』라는 동판 장식은 보기 드문 기법으로 장인정신이 돋보인다.

❸ 판벽과 이누야라이

내진을 고려해 쇼윈도를 없애고 판벽으로 교체했다. 그 아래에는 교토의 전통 목조 주택인 교마치야에서도 볼 수 있는 이누야라이를 설치했다. 이누야라이는 처마 아래에 두는 낮은 울타리로, 개 배설물과 진흙 튀김을 막고 벽을 보호하는 동시에 비와 외부 충격을 막는 다목적 방호 장치다.

외관과 내관 모두 장인의 재치가 돋보인다。

편백나무 껍질로 이은 천장과 가로대 사이에는 란마(문 위의 통풍을 위한 창)를 활용하고 있다. 카운터 위는 아지로(대나무를 종횡으로 엮은 마감재)를 붙였다.

천장에서 내려온 등. 전구나 형광등으로는 낼 수 없는 맛을 연출한다.

술을 데우는 도구인 사케칸키는 절반은 물수건을 데우는 용도로 쓰인다. 이 데우는 방법을 쓰면 물수건의 적당한 포근함이 나온다.

밤의 파수꾼 같은 철 망사로 된 등.

유구한 역사를 느낄 수 있는 수많은 도구들

화려한 회 중간에 〈오뎅〉으로 한숨 돌리자. 무, 한펜(흰살 생선살을 주 재료로 마를 섞어 쪄낸 어묵의 한 종류), 쓰미레(생선 완자)… 뭐든지.

40년 넘게 이 가게에서 칼을 쥐고 있는 주방장. 생선 요리 외길의 수작업.

집념의 최고급 혼와사비(일본이 원산지인 생 와사비), 이것만으로 술을 마실 수 있다.

찻주전자에서 퍼 올린 차, 정말 맛있다.

DATA **란만**	도쿄도 나카노구 나카노 5-59-10 / 03-3387-0031 / 월·화·목·금(17:00~22:00), 토·일·공휴일(16:00~22:00), 수요일 정기 휴무

명물 요리 [메이부쓰 료리]

명물: 훌륭한 것. 유서 깊은 것.
요리: 음식을 만드는 것. 또는 요리한 것.

—『고지엔』(이와나미서점)에서 발췌

단골 메뉴인 「이 한가지(일품)」는 이자카야의 큰 즐거움이다. 언제 먹어도 질리지 않는 메뉴로 한숨 돌리며 평안을 찾을 수 있는 것은 단골에게 주는 보상이다.

가기야의 우나기구리 가라야키
→ 가기야 P.96

란만의 오뎅
→ 란만 P.182
* 11~3월경까지

사이토 사카바의 구시카쓰
(꼬치에 꽂아 튀긴 요리)
→ 사이토 사카바 P.168

구무라노 사카바의 낫토
→ 구무라노 사카바 P.26

겐지의 누카즈케 → 겐지 P.42

미마스야의
시쿠라 사시미(말고기 회)
→ 미마스야 P.68

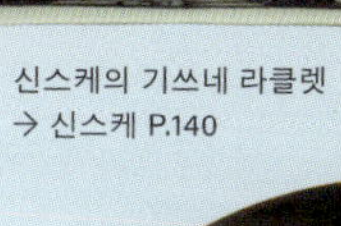

신스케의 기쓰네 라클렛
→ 신스케 P.140

이세토의 미소 덴가쿠
→ 이세토 P.154

아카쓰카의 도리 모쓰니코미
→ 아카쓰카 P.82

후쿠베의 구사야 → 후쿠베 P.1124

기시다야의 모쓰 니코미 → 기시다야 P.126

ぎんじ
酒
場
(825)
九
大衆酒場
ぎんじ

14 JAPAN HERITAGE OF IZAKAYA

긴지 銀次

빛을 모으는 따뜻한 술집

가나가와현 요코스카시

해군 기지의 도시 요코스카에
옛날 그대로의 대중 이자카야가 있다.
개방감 있는 실내를 천장에서
내려오는 알전구가 따뜻하게 비추고,
오래된 칸쓰케 장치로 데운 술과
명물 유도후와 미우라 반노의 생신
서로 간섭하지 않는 분위기는
오히려 상쾌하고 아늑하다.
가게에서 쓰는 도구와 공간 자체를
소중히 여기는 자세에서
이곳이 명점인 이유를 알 수 있다.

개방적인 가게 안은 부드러운 자연광이 들어와 따스함을 느낄 수 있는 공간이 된다.
천장에 매달려 있는 알전구 또한 그렇다.

널찍한 공간에서 느껴지는 옛 이자카야 분위기

십여 년 전 일본에 아직도 오래된 이자카야가 남아있다는 것을 알게 된 곳이 요코스카의 「긴지」다.

요코스카 중앙역에서 내려 걸어서 5분. 대로변에서 좁은 골목길로 들어가면 낡은 모르타르 목조 2층 건물이 나온다. 입구 유리문 앞에 내려진 남색 포렴에는 그다지 세련되지 않은 소박한 큰 글씨로 「사카바(술집)」라고 적혀있고, 좌우에는 가게 이름 〈긴지〉와 전화번호가 적혀 있다. 오른쪽에는 「대중주점 긴지」라고 적힌 붉은 오다와라 초롱이 달려 있다. 골목 쪽으로 약 한 자(약 30cm) 정도 돌출된 반투명 유리의 출창은 아래쪽 5분의 1 정도가 맑게 비쳐 가게 안이 조금 들여다보이는데, 그 모습을 보고 기대감이 들어 문을 열고 들어갔다.

돌출된 창 앞에는 튀김 시설이 설치되어 있어 밖에서도 가게 안의 모습을 엿볼 수 있다.

가게 안은 꽤 넓고, 왼쪽 대부분이 주방이고, 그 주위를 카운터로 둘러싸고 있으며, 뒤쪽 공간도 있어서 테이블을 놓기에도 부족함이 없고, 안쪽에는 다다미방도 있다. 위에는 갓도 없는 알전구가 여러 개 내려와 있다. 헝겊으로 감긴 꼬불꼬불한 코드와 검은색 두갈래 소켓이 어딘가 그리운 분위기를 자아낸다. 넓고 높은 베니어 천장은 카운터 L자형 기둥과 또 하나의 기둥으로 받쳐주고, 보강용인 듯한 둥근 철제 기둥도 서 있다. 밖에서 본 돌출창 뒤가 커다란 튀김 시설로, 창 아래 살짝 비치는 투명창을 통해 지나가는 사람들을 보면서 하는 일은 재미있을 것이다.

주방은 설거지, 생선 조리장, 튀김 시설, 배식대 등으로 구성되어 있다. 대형 냉장고, 온장고, 생맥주 서버가 각각 독립되어 있어 일하기 편할 것 같다. 카운터 좌석은 모두 간이 나무 원형 의자로 되어 있어, 그냥 와서 바로 앉을 수 있는 편안함이 좋다. 의자는 많이 낡았다. 모퉁이 기둥에 뭔가 무쇠로 된 철제 파이프가 노출되어 있는 것도 별 상관없다는 느낌이 든다. 주방을 중심으로 한 가게 안은 도시의 좁은 이자카야와는 다른 실용적인 개방감이 있다.

두 면의 전면 유리로 된 대형 창문을 통해 빛이 가득 들어와 실내는 매우 밝다 여름에는 일곱 시쯤까지 밝지 않을까. 게다가 큰 창문 위에 천정까지 달린 작은 창문은 항상 열려 있어 바깥바람이 들어온다. 자연의 빛과 바람으로 가득 찬 건강한 행복감은 대단히 사치스럽다.

언제까지나 소중히 사용하며 아무것도 바꾸지 않는 철저함

「긴지」는 쇼와 29년(1954) 고바야시 긴지 씨가 요코스카 중앙역 뒤편에 개점했다. 5년 후인 1959년 동생인 마사오 씨가 이곳에 별관을 개점하여 「제2의 긴지」라고 불렸고, 얼마 지나지 않아 스미에 씨가 시집을 왔다. 형제의 아버지 도쿠지로 씨는 목수였고, 이 가게는 도쿠지로 씨가 보수했다. 비싼 재료는 사용하지 않고 손님 자리보다 부엌을 중심으로 밝고 넓게 잡은 방 배치는 자식들이 일을 쉽게 하도록 배려한 부모 마음이었을까. 「만석을 기원·긴지 씨에게」라는 개점 축하 현판이 걸려 있다. 그곳에 적힌 기타야라는 이름은 도쿠지로 씨의 친구라고 한다.

역 뒷편에 있던 가게는 15년 전에 문을 닫고 「긴지」는 이곳만 남았다. 며느리인 스미에 씨는 시아버지가 만든 가게를 항상 구석구석까지 깨끗하게 닦고 가꾸며 소중히 여겼는데 헤이세이 6년(1994) 마사오 씨가 사망하자 가게를 물려받아 지금은 어렸을 때부터 도와주던 두 딸이 이어받고 있다. 가게는 창업 이래 단 한 번도 리모델링을 하지 않고 옛 모습 그대로인데, 항상 철저히 청결을 유지시키고 있음을 한눈에 알 수 있다. 손님의 팔꿈치로 닦인 카운터도 마찬가지다.

"오타 씨, 이것 좀 봐요."라며 내민 것은 이즈모타이샤라고 새겨진 오래된 곡물을 개량하는 마스〔계량 나무잔〕인데 사각형 가득히 이쑤시개를 꽂아 놓았다. 이것 또한 성실함의 한 방식처럼 느껴진다.

아무것도 바꾸지 않겠다는 집념은 벽 가득 압핀으로 붙여놓은 메뉴 단사쿠(세로 종이)들의 모습에서 더욱 두드러진다. 이미 글씨가 보이지 않을 정도로 짙은 갈색으로 변한 것부터, 갈색·연갈색·거의 하얗게 남아 있는 것까지 무작위로 섞여 있다. 그리고 더 이상 내지 않는 메뉴를 떼어낸 자리에는 벽만 하얗게 남아 있어, 그 주변의 갈색 변색과 대비되어 그대로 흔적이 된다. 가장 갈색으로 변색된 것은 〈오싱코〔절임 음식의 일종으로, 특히 짧은 시간 동안 절인 채소〕〉. 짙은 변색은 〈니코미〉, 〈메자시〔정어리 등의 작은 생선을 소금에 절이고 여러 마리를 꼬치에 꿰어 건조시킨 식품〕〉. 옅은 갈색은 〈부쓰〔생선을 손질하여 뼈와 껍질을 제거하고 그대로 먹을 수 있는 상태로 만든 것〕〉, 〈시샤모〔홋카이도 태평양 연안에서 잡히는 작은 바닷물고기〕〉, 〈쓰키미 야마가케〔우동이나 소바 등의 위에 참마와 달걀 노른자를 얹은 요리〕〉 정도다. 〈토마토〉, 〈나스야키(가지 구이)〉, 〈에이히레〔가오리의 지느러미를 말린 것〕〉는 아직 흰색이다.

갈색으로 변색되어도 그대로 있는 건 가격을 올리지 않았다는 뜻이다. 재미있는 것은 〈구지라 베이컨(고래 베이컨)〉, 〈아이가모 스모크(오리고기 훈제)〉 처럼 오늘 없는 메뉴는 거꾸로 붙여져 있기 때문에 그렇게 되면 억지로라도 읽어보게 된다. 이 무심한 단순함.

이 가게의 명물은 대구와 다시마로 국물을 낸 대형 알루마이트 냄비에서 따뜻하게 데운 유도후〔두부〕다. 기본은 〈유도후 한 모〉지만 〈유도후 반 모〉도 추가되었다. 그것을 접시에 담고 다진 파와 가쓰오부시를 뿌려 먹는데, 가쓰오부시는 도쿠지로 씨가 목공에 사용하던 대패를 뒤집어 긁어 사용하기에 할아버지가 애용하던 유품을 소중히 쓰고 있는 모습이 정겹다.

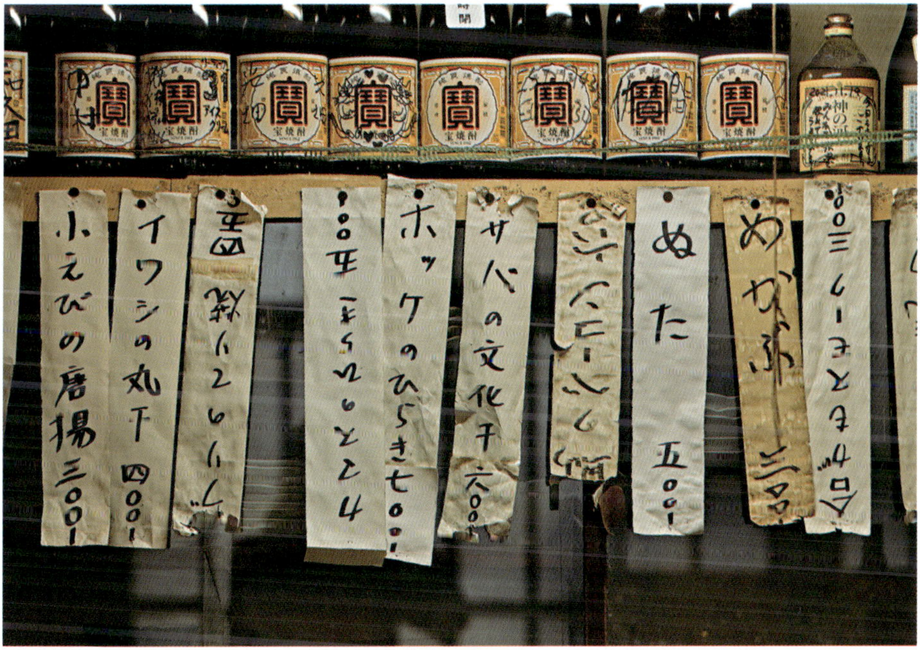

대로변에 면한 전면 유리창의 밝음이 이자카야에서의 한 잔을 정말 건전하게 만들어 준다.
거꾸로 된 메뉴는 읽고 싶게 하는 묘한 매력을 가지고 있다.

현지의 큰 미우라 무를 사용한 무조림. 방어와 함께 끓인다.

또 다른 인기 메뉴인 〈니코미〉는 야채를 중심으로 잘 익힌 감자가 맛있다. 거대한 〈다이콘 니쓰케(무 조림)〉는 방어로 육수를 내어 따뜻하게 데워지는데 이보다 더 좋을 수 없다.

또한 생선이 훌륭하다. 미우라 반도 끝자락의 하시리미즈 주변은 우라가 수로 어장으로 알려져 있으며 구리하마의 문어, 마쓰와의 고등어는 유명하다. 내가 유도후와 함께 꼭 주문하는 〈시코〉는 시코 이와시노스자키〔머리와 내장을 제거한 멸치를 뼈째 그대로 회로 먹는 음식〕를 얇게 저민 것으로, 세토우치 히로시마에서는 일곱 번 씻으면 도미 맛이 난다"라고 할 정도로 식초된장과 잘 어울리는 별미다. 회는 전혀 비린내가 나지 않고, 생강 간장에 찍어 먹다보면 젓가락이 멈추지 않는다. 빨리 상하기 때문에 도쿄에는 유통되지 않아서 이것을 먹으러 오는데, 벌써 몇 년째 어획량이 없다는 것이 아쉽다.

메뉴를 쓴 종이는 종이대로 도구는 도구대로 소중히 쓰는 것 중 하나는 평소 알고 지내던 구리 항아리 장인이 만들어서 이미 테두리가 장렬하게 변색된 구멍이 여러 개 뚫린 구리제 칸쓰케 기구다. 안쪽에는 항상 목까지 물이 잠겨 있는 도쿠리가 있고 술병의 뚜껑을 덮어놓고 차례를 기다리고 있다. 키가 크고 날씬한 흰색 도쿠리에는 〈후시미의 술·쇼토쿠〉 또는 〈기쿠후부키(菊吹雪)〉 로고에 〈술집 긴지〉라고 적혀 있고, 도쿠리 목에 그려진 감색 한 줄과 두 줄의 선은 술 1급, 2급의 흔적이지만, 이 도쿠리도 몇 개 남지 않았다고 한다. 고인이 된 시아버지 마사오 씨가 차갑게 마셔도 좋고, 따뜻하게 마셔도 맛있어서 좋아했다는 쇼토쿠는 부드럽고 질리지 않는다. 도쿠지로 써도 술을 좋아했지만 아들과 며느리가 일하는 이곳에 와서 술을 마시지는 않았다고 한다.

이자카야의 점포 가치 그 진수

개점 4시에 바로 손님 두 명이 와서 자리를 잡고 앉아서 "오늘은 전어 있어요?"라고 묻는다. 해군기지 마을 요코스카답게 중장년층도 야구모자에 헤링턴 재킷, 청바지를 입고 낡은 나무 발 받침대에 샌들을 벗고 맨발로 앉아 있다. 18살에 입사해 50년째 다니고 있는 사람도 있다. 화장실에는 해군에 복무한 것으로 보이는 젊은이의 '이 가게 감사합니다'라는 낙서도 있었다.

이자카야는 바로 앞에 주인이 있으면 뭔가 말을 해야 할 것 같은 부담감이 들 때도 있지만, 넓고 개방적인 이곳은 가게는 가게, 손님은 손님이라는 듯이 서로 전혀 간섭하지 않는 것이 어딘지 모르게 미국스럽다.

가게를 운영하는 자매는 "우리 가게의 자랑은 손님이 착하다는 것"이라고 말하지만, 용무가 없으면 숨을 정도로 낯가림이 심해 조용히 일만 하고, 오늘 가게 안을 촬영할 때도 카메라에 잡히지 않으려고 도망치듯 돌아다녔다. 내가 이곳을 책으로 쓴 후 처음 방문하는 손님이 많아졌고, 사진을 찍는 사람들도 있어 일체의 취재를 거절했지만 언젠가 내 TV 프로그램 촬영 때는 "오

지금 쓰고 있는 칸쓰케 기구는 두 번째로 30년이 넘었다. 술 병뚜껑을 덮고 주문을 기다린다.

이 가게의 따뜻함을 상징하는 알전구가 메뉴를 비춘다. 오른쪽 위는 낡은 메뉴를 떼어내자 생긴 벽의 흔적이다.

젓가락과 이쑤시개도 항상 가득 차있다.

타 씨라면 괜찮지만 자신들은 절대 찍지 말아 달라"는 조건으로 허락을 받았다.

내가 가장 감탄하는 것은 언제나 반짝반짝, 마치 아무것도 없는 것처럼 닦아낸 현관 유리문의 심미적 아름다움이다. 나무 프레임은 이미 많이 닳아 없어졌다. 남편이 죽은 후 가게를 물려받은 어머니 도시에 씨는 시아버지가 만든 가게를 소중히 가꾸고 다듬었다. 그런 어머니를 보고 배웠을 것이다.

이자카야의 가치는 훌륭한 건축이 아니다. 집도 도구도 오래된 것을 얼마나 소중히 쓰며 이어오고 있는가, 그 사실을 이토록 깊이 느끼게 하는 가게는 좀처럼 없다.

OUTLINE
점포개요

FOUNDED | 창업

쇼와 29년(1954) 고바야시 긴지 씨가 요코스카 중앙역 뒤편에 자신의 이름을 딴 「긴지」를 개점. 그 후 쇼와 34년(1959)에 긴지 씨의 동생인 마사오 씨가 현재의 요코스카에 「긴지」를 창업하여, 개축 공사를 하지 않고 가게 모습을 그대로 유지하며 영업을 계속하고 있다.

HISTORY | 역사

초대 여주인의 딸인 현 여주인은 어린 시절부터 가게를 도왔으며, 쇼와 60년대 무렵까지 이 건물은 주거지로서의 역할도 겸하고 있었다. 철이 들 무렵에는 가게의 규칙이나 업무는 몸에 배어 있었다고 한다. 요코스카 중앙역 뒤편에 있는 「긴지」는 포렴을 내리고 문을 닫았다.

❶ 세면기
들어가서 오른쪽에 있는 손 씻는 곳도 건재하다. 예전에는 어디에도 없었다. 손을 씻는 것은 좋은 일이다.

❷ 알전구
안쪽에는 좌식 공간이 있다. 천정에는 갓이 없는 알전구가 여러 개 매달려 있고, 천으로 감싼 코드와 두갈래 소켓을 사용하고 있다.

❸ 카운터 의자
모두 나무 원형 의자로 많이 닳았다. 카운터도 손님들의 팔꿈치로 오랜 세월 닳아낸 흔적이 역력하다.

❹ 돌출된 창
전용 튀김 시설 앞에 서면 바깥 길이 보이는데 동네와 이웃하는 느낌을 받을 수 있을 것이다.

CUSTOMER | 고객층

코로나 시대로 인해 두 달 반 이상 휴업을 하게 되었을 때, 단골손님들 사이에서는 긴지의 영업을 많이 걱정했다고 한다. 단골손님 중에는 초대 미치오 씨가 가게를 운영할 당시 스무 살 정도였던 분도 있다고 한다. 카운터 자리에는 매일 손님 한 명이 차지하고 있다.

FILE

창업	쇼와 29(1954)년
지역	가나가와현 요코스카시
창업 시 형태	이자카야
구조	모르타르 목조 2층 건물
점주	고바야시 가즈에(2대째)

소박하지만 깊은 맛의 안주로 한 잔

〈무 조림〉〈사지마노다코〔사지마에서 잡히는 문어〕〉〈유도후〉〈니코미〉. 이것으로 완벽하다.

도쿠리 목에 그려진 감색 한 줄과 두 줄의 선은 1, 2급 술의 흔적인데, 이 도쿠리도 몇 개 남지 않았다고 한다.

동으로 만든 대형 칸쓰케 도구에 담긴 물에는 항상 도쿠리가 목까지 잠겨 있고, 술 병뚜껑을 덮고 차례를 기다린다.

무 조림이 담긴 큰 냄비. 이 뚜껑을 열고 어떤 것을 먹을까 고민하며 떠먹는 것이 즐겁다.

창업 당시부터 지금까지 사용하고 있는 대패

가쓰오부시가 작아져도 정성껏 긁어낸다.

목수였던 도쿠지로 씨가 사용하던 대패로 가쓰오부시를 긁어낸다. 여기에 힐하비시가 있다.

DATA 긴지	가나가와현 요코스카시 와카마쓰초 1-12 / 046-825-9111 / 16:00~23:00, 토 일 공휴일 휴무(4째주 토요일은 영업)

衆酒場
電(251)〇一三一
大衆酒場
萩錦
店内禁煙
ナガラミ
生しらす

다카노 多可能

**누구에게나 사랑받는
이자카야의 전형**

시즈오카현 시즈오카시

바다와 산으로 둘러싸인 시즈오카,
빌딩가 끝자락에 시선을 붙드는
판잣집 풍의 건물 하나.
그곳에는 오랫동안 사랑받아 온
정통 술집의 풍경이 펼쳐진다
술꾼들은 밤마다 모여
제철 생선과 오뎅을 앞에 두고
오늘 밤도 인생 이야기에 빠져든다.
화려하게 장식된 생화의 씩씩하고
생동감 넘치는 모습은
「다카노」 그 자체인 것 같다.

3대째인 현재의 건물. 시즈오카 대화재와 시즈오카 대공습 피해로 두 번이나 건물이 전소되었다.

시즈오카 역 앞에서 이채로움을 띄는 판잣집 풍 대중 술집

도카이도 신칸센 시즈오카역 북쪽 출구를 나서면 바로 보이는 정비가 잘 된 작은 빌딩들 사이, 그곳에 자리한 나무판 벽의 단층 이자카야 「다카노」는 그 자리만 시간이 50년쯤 거슬러 올라간 듯한 느낌을 준다.

기와지붕도 없는 네모난 상자 형태의 건물은 마치 전후의 판잣집 시대가 조금 가라앉고 비로소 '제대로 된 한 채'의 가게가 세워졌을 무렵을 떠올리게 하는, 묘한 편안함과 향수를 자아낸다. 작은 창, 가는 격자, 나무판 벽 등은 수시로 손질해온 흔적이 보이는데, 집을 아끼는 마음이 배어 있는 듯하다.

밖에 둔 화분이나, 산에서 채취해 온 꽃이 피어있는 커다란 나뭇가지는 실속 위주의 건물에 싱그러운 생명력을 불어넣고 판자벽에 「오늘 준비되어 있습니다」라는 의미의 구로후다(黒札, 검은 나무판 메뉴)에 적힌 「나가라미〔비단 고둥〕」와 「나마시라스〔정어리 등의 치어를 삶거나 건조시키기 전에 갓 잡은 날 것의 상태로 먹는 것〕」가 좋다. 기둥에는 품격 있는 달필로 「다카노 도시아키·다카노 신」의 문패가 있다. 문패를 단 이자카야는 드문데 마치 「우리 집입니다」라고 선언하는 것 같다.

구석의 작은 입구 미닫이 문 위에는 자랑스럽게 「다카노」라는 글자가 쓰여 있고, 저녁이 되면 좌우에서 스포트라이트를 비춘다. 지역 술 「하기니시키(萩錦)」라고 적힌 커다란 등이 켜지고, 흰 포렴이 걸린다. 개점은 4시 반으로 이른 시간이다.

그럼 안으로 들어가 보자.

맥주 서버와 냉장고 사이를 지나 안쪽으로 깊숙이 들어가면 오른쪽에 여섯 명이 앉을 수 있는 카운터가 있고 왼쪽에 튼튼한 4인용 테이블 2개, 다다미 넉 장의 작은 다다미방에는 2인용 작은 상도 3개 있다. 작은 창문이 있는 판자벽으로 나뉜 건너편은 8조 다다미방 두 개를 연결한 큰 다다미방으로 큰 상이 여러 개 있고, 가장 안쪽은 도코노마다. 오른쪽에는 벽장이 있다. 카운터, 테이블, 작은 다다미방과 큰 다다미방이 있어서 혼자 오거나 둘, 혹은 여러 명이 와도 다양한 손님들을 수용할 수 있다. 다다미방 위쪽에 겹겹이 쌓아 둔 남색 방석을 천천히 술을 마시러 온 손님들이 한 장씩 들고 저마다 원하는 자리에 앉는 광경이 눈에 선하다. 나쓰메 소세키 『마음』에 나오는 구절처럼 자신의 숨겨두고 싶은 과거나 비밀을 알게 함으로써 사람들에게 도움이 되고 싶은 사람이 많을 것이다.

카운터에는 4대째인 다카노 신 씨가 연지색 멋진 고이구치〔칼집 아가리〕에서 칼

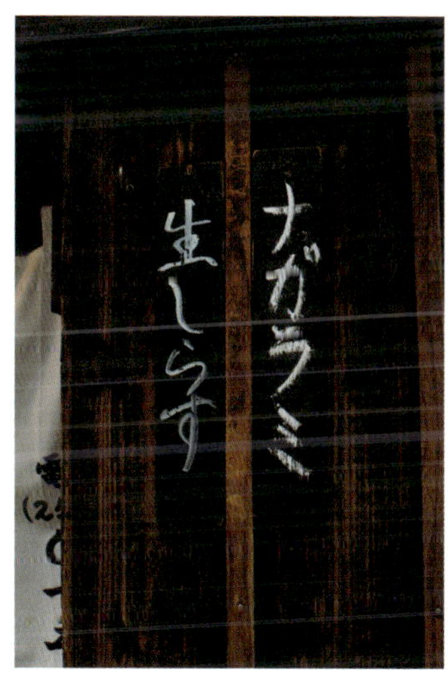

구로후다에 메뉴가 적혀 있다.
둘 다 오랫동안 사랑받고 있는 메뉴다.

가게 안 풍경. 카운터 앞에는 항상 커다란 생화가 있다. 천장은 단차를 두어 파도를 표현했다. 왼쪽 안쪽은 다다미방.

을 꺼내 들고 있고, 등뒤에는 그릇과 컵이 한 줄로 늘어선 얕은 선반이 놓여 있다. 그 위에는 메뉴가 적힌 구로후다가 70장이나 붙어 있다. 〈마구로, 가쓰오, 스즈키, 가마스 야키, 구시가쓰, 아지 후라이, 하스 후라이, 네기마, 야키토리, 야키나스, 하마구리 사카무시, 나마와캄메 그리고 회〉. 그 위에는 주인공처럼 당당하게 좌우 약 2미터 정도의 오래된 목판에 「다카노(多可能)」라는 글자가 금속으로 입체적으로 새겨져 있다. 가게의 품격을 보여주면서도 주인이 짊어지고 있는 무게인 것처럼 자리 잡고 있다. "(본명인 다카노에 붙인) 이 한자는 대학 선생님이셨거나 학식이 있으신 분 함자인 것 같은데, 가끔 손님들에게서 고전에 나오는 단어라는 말을 듣기도 합니다."

가게 안을 가득 채운 옛 물건들과 아름다운 생화

「다카노」는 다이쇼12년(1923) 증조부인 다카노 요네타로가 창업했다. 이제 곧 100년이 된다. 장소는 변함없이 시즈오카시 중심부인 「아오이쿠 곤야마치」. 같은 동네에서 한 번도 자리를 옮기지 않고 영업을 이어오고 있다. 전쟁 전의 가게는 시즈오카 공습으로 소실되었지만, 전후인 쇼와 21년(1946)에 지금의 건물을 재건했다. 대나무를 쪼개어 연결한 판자는 넓고, 그물무늬 합판 천장은 1미터 간격으로 단차를 두어 밀려오는 파도를 표현했다. 카운터 폭은 가늘게 다듬고, 껍질을 벗긴 천연 통나무 다리에 폐목재 판자를 얹은 테이블은 아마추어의 솜씨일까. 반면 다다미방의 다다미는 최근에 새로 깔았는지 새것처럼 깨끗하다.

옛날 기차역처럼 낡은 원형 시계가 걸려 있고, 한때 그 아래에 시간표가 붙어 있던 것은 역시 도카이도 연선의 가게답다. 액자에 걸린 이토 신스이〔미인화, 우키요

지금은 아들에게 가게를 물려주고 보조 역할에 충실하고 있는 3대째인 이 분은 좋은 사람이다. 나하고 친한 사이다.

에로 유명한 화가)가 그린 「사와노쓰루(澤之鶴)」 미인화 포스터가 멋지다. 가게 안에는 손님이 가져온 것으로 보이는 물건들이 곳곳에 장식되어 있고, 오른쪽에 기린 맥주통이 있는 런던의 펍을 모방한 그림에는 「메이지 36년」이라고 적혀 있다. 뒤쪽 통로의 가문 문양이 새겨진 흰 포렴 위에는 오카메〔복을 부르는 신. 입을 삐죽 내밀고 익살스러운 표정의 가면〕, 오반과 고반〔에도 시대의 대표적인 금화〕, 과녁과 화살, 주사위 등 경사스러운 물건이 가득하다. 마네키네코가 앉아 있는 신단 옆에는 데마리와 히나 인형이 함께 장식되어 있는데, 이처럼 다채로운 장식을 쓰루시비나라 부른다. 손님은 자신의 집에는 어울리지 않게 된 낡은 물건이 모여 있는 사실에 안도하고, 그것이 보고 싶어 다시 찾아온다고 한다. 안쪽 다다미방에는 초대 사장님이 정성껏 휘호해 주셨다는 「대중 주점」이라고 쓰여진 대형 간판과 큰 나가이바치〔가로로 긴 상자형 나무 화로〕와 말벌집, 오래된 항아리, 그리고 천장까지 높이 자란 꽃나무로 가득하다.

이 오래된 가게에 생기를 불어넣는 것은 3대째 부인이 산과 강가에서 산더미처럼 채취해 온 이 생화들이다. 오늘 카운터 위에 놓인 새빨간 꽈리는 7월 오봉〔한국의 추석과 비슷한 명절〕기간 동안 공양한 것이다. 다다미방은 새하얀 산나리와 큰부들 꽃이삭이 놓여 있다. 모두 폼 잡는 듯한 꽃꽂이가 아니라 아무렇게나 던져놓은 것 같은 느낌이 좋다.

시스오카에서 오랫동안 사랑받는 노포 이자카야의 전형

자, 이제 마셔보자. 몇 번을 오면서 나의 주문은 〈사쿠라에비〔길이가 5cm 정도로 연분홍색으로 보이는 새우의 한 종류〕〉, 〈나마시라스〔생 뱅어〕〉, 〈니가라미〔비단고둥

그릇에 가득 찬 〈니가라미〉. 36개의 구멍이 뚫린 동제 칸쓰케 기구는 지금까지 본 것 중 최대 규모다. 역을 연상시키는 벽시계는 역시 도카이도선〔도쿄역에서 고베역까지 연결하는 JR 노선〕 연변〔여기서 연선이란 철도 노선을 따라 이어진 지역. 철도 연변〕이다.

조림〕〉, 〈구로한펜야키〔시즈오카 향토식으로, 등푸른 생선을 뼈째 갈아 만든 흑반점이 특징인 어묵을 구운 것〕〉, 〈스아지〔전갱이 초무침〕〉로 정해져 있다.

명물인 〈사쿠라에비〉는 유이〔시즈오카시 시미즈구의 지명〕에서 나온다. 〈나마시라스〉는 모치무네〔시즈오카의 작은 항구 도시〕의 아침 어획에 한하기 때문에 어획이 없는 날은 나오지 않는다. 오늘은 〈사쿠라에비〉는 잡히지 않았다. 〈나마시라스〉는 가마쿠라 주변에서 인기가 많지만, 이곳 모치무네에서 아침에 잡은 것은 한 마리, 한 마리가 팽팽하게 탄력이 있고, 눈은 이쪽을 똑바로 쳐다보고 있으며 비린내가 전혀 없는 일본 제일의 맛이다. 작은 고둥 〈니가라미〉는 이쑤시개로 빼내는 재미가 있다. 시즈오카 오뎅에 빠질 수 없는 〈구로한펜〉의 소박함, 즉석에서 가공하여 식초에 담근 〈스아지〉의 깔끔한 맛.

술은 토속주 「하기니시키」. 일 합인 180ml 도쿠리병만 쓴다. 특이한 것은 4×4열의 구리로 만든 칸쓰케 기구 2대, 총 36개의 구멍이 있는 것으로, 예전에는 이 칸쓰케 기구에 도쿠리가 가득차 있었다고 한다. 지금의 이자카야는 여러 종류의 술을 놓아두지만 이곳은 한 종류만 놓아둔다. 혼잡한 가게에서 어느 것이 누구의 술인지 알 수 없기 때문이다.

또 하나의 명물은 길이 20cm가 넘는 초대형 맥주 병따개다. 지하철역과 직결되어 있는 마쓰자카야(백화점)의 골동품점에서 구입한 것이라고 말하는 3대째는 어릴 적부터 가게를 도왔고, 이 병따개가 아니면 손이 피곤하다고 한다. 둥근 시계, 사오노쓰루 포스터, 병따개를 이 가게의 3대 보물이라고 하자.

카운터 오른쪽 끝에는 소주 '아카네키리시마'와 술잔이, 왼쪽 끝에는 위스키 'Dewar's'와 잔이 이미 놓여 있다. 이 두 자리는 매일 찾아오는 단골들 가운데에서도 특별히 존재감이 큰, 이른바 「동쪽 요코즈나」, 「서쪽 요코즈나」의 지정석이다. 〔'요코즈나'는 스모의 최고 등급을 빗댄 표현으로, 가장 위계 높은 단골, 레전드 단골 정도의 뜻이다.〕 조금 전에는 「동쪽 요코즈나」 손님이 "전에 뵌 적 있죠?"라며 먼저 인사를 건네기도 했다.

그 분이 「여기는 통칭 제2의 후게쓰」라고 말하는 이유는 대각선 방향에 있는 옛 도쿠가와 요시노부의 저택 터의 고급 요정 「후게쓰로」를 바꾼 말이다. 퇴근 후 술자리에서 2차로 갈 때 「제2의 후게쓰 집합」이라고 부른다고 한다.

3대째인 도시아키 씨가 장을 봐 왔다. 기나가시〔하카마(일본 옷의 겉에 입는 주름잡힌 하의)를 입지 않은 평소의 약식 복장〕 옷차림이 잘 어울리는 멋진 남자. 대학을 졸업하고 바로 가게에 들어왔는데, 이전까지 일했던 분이 그만두자 손님이 급격하게 줄어들어 조바심이 난다며 웃는다. 분명 미인 언니였을 것이다. 70대가 되어 가게는 아들에게 물려준 이상 불필요한 참견은 하지 않고, 뒤에서 인견하는 자세가 시원하다.

오늘은 어머니와도 이야기를 나눴다. "이런 책이 있어요."라고 보여주신 것은 전국시대 이마가와 가문의 후예인 가토 미쓰오가 쓴 『남향(南向) 이마가와 우지키요

미인화 포스터도 충실하다.

4대째인 다카노 신 씨는 산적 수염이 특징인데
이날은 면도를 하고 있었다.

(今川氏清)의 생애』다. 어머니는 몇 안 되는 이마가와 직계 후손으로 오이 강 상류에 지금도 남아있는 저택에 가끔 가는 것이 즐겁다고 한다. 책의 후기 첫머리에는 이렇게 적혀 있다.

〈이자카야 「다카노」는 주인 다카노 도시아키 씨 부부가 운영하고 장남 신 씨가 돕고 있다. 이 오랜 번성의 이유는 항상 새로운 시도와 온화한 인품으로 모두에게 친숙하고 신뢰가 있기 때문이라고 할 수 있다. 시내 중심가라 직장인들이 많지만 최근에는 여성 손님도 보여 화사함을 더한다.

카운터에서는 이곳에서 친분을 쌓은 술꾼들이 술에 취해 인생 이야기에 빠져든다. 그런 친구들 중 한 명이라도 얼굴이 보이지 않으면 괜히 걱정되어 주인에게 안부를 묻는 등, 술을 좋아하는 사람들 특유의 따뜻함을 자주 느낄 수 있다. 다다미방에서도 마찬가지다.

누가 붙였는지 별명도 있다. 이곳을 두고 사람들은 '다카노 클리닉'이라고 부르며, 단골들 사이에서는 암호처럼 통하기도 한다. 내가 이 책을 쓸 수 있었던 것도, 남향 가문에서 다카노 가문으로 시집온 주인의 아내의 가계를 거슬러 올라가면, 스루가의 다이묘였던 이마가와 우지자네(今川氏真) 10대에 닿는다는 이야기를 들었기 때문이다……〉

기후가 온화하고, 바다와 산이 주는 풍요로운 먹거리에 둘러싸인 시즈오카의 이자카야는 어려운 말을 늘어놓지 않는다. 그저 모두가 즐겁게 왁자지껄 떠들며 마신다. 그것이 곧 '좋은 술'이다. 그리고 바로 이곳이, 그 '좋은 술자리의 미덕'을 지금도 이어가는 장소다. 새 빌딩으로 바뀌어버리면 사라지고 말 분위기. 옛 건물 그대로 지역에 뿌리내리고 있기에, 누구에게나 오래도록 사랑받는 이자카야의 전형이자 모범이라 할 만한 집이다.

안쪽과 구분하는 가문 문양이 새겨진
흰 포렴에는 장식품이 가득 걸려있다.

OUTLINE
점포개요

FOUNDED | 창업

다이쇼 12년(1923) 다카노 요네타로가 창업했다. 창업부터 현재까지 시즈오카현 시즈오카시 아오이구 곤야마치에 가게를 두고 있다. 창업 17년째 되는 해에 시즈오카 대화재로 건물이 소실되었다. 그 후 5년 뒤에도 시즈오카 대공습의 피해를 입었지만 재건을 거듭해 현재의 건물에서 3대째를 맞이했다.

HISTORY | 역사

쇼와 15년(1940) 시즈오카 대화재, 불과 5년 후인 쇼와 20년(1945)에는 시즈오카 대공습의 피해를 입어 두 번이나 건물이 전소되었다. 3대째인 다카노 도시아키 씨가 가게를 물려받은 것은 쇼와 43년(1968)이다. 2023년에는 창업 100년의 역사를 맞이했다.

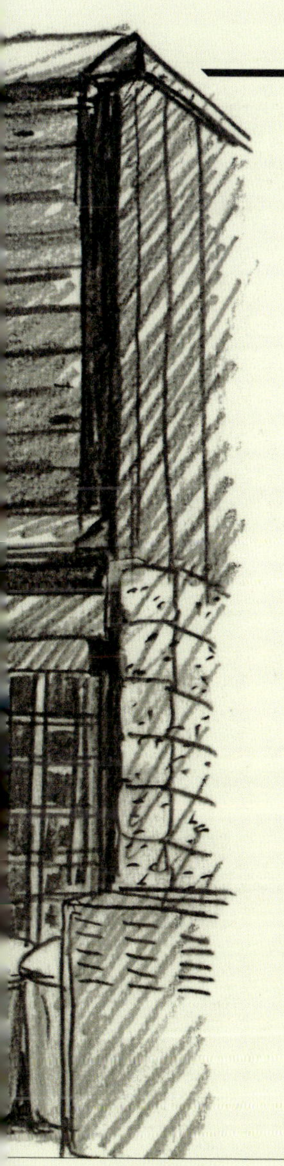

❶ **지붕**
판자로 된 목조 단층 건물로 지붕에 기와가 없다. 네모난 상자 모양으로 여러 차례 수리와 개축을 반복한 흔적이 역력한 건물이다. 최근 큰 환기 시설을 설치했다.

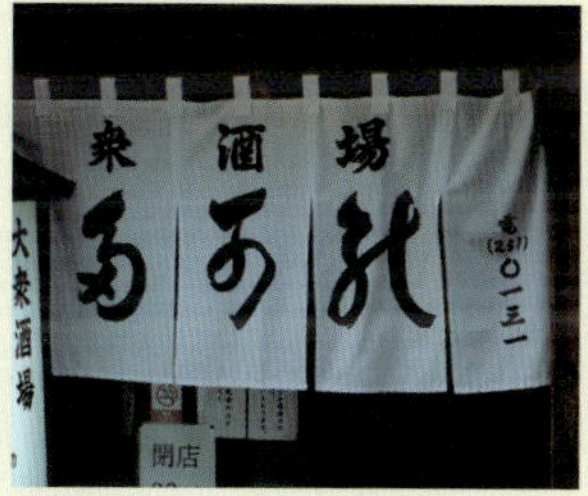

❷ **포렴**
달필로 쓴 가게 이름이 풍격을 돋보이게 한다.

❸ **문패**
기둥에는 품격 있는 달필로 「다카노 도시아키·다카노 신」의 문패가 있다. 문패를 단 이자카야는 드문데 마치 「우리 집입니다」라고 선언하는것 같다.

❹ **사방등**
이것이 켜져 있으면 안심.

CUSTOMER | 고객층

2대 사장이 카운터에 서 있을 때만 해도 여성 손님은 거의 없었다. 카운터 석은 암묵적으로 단골손님들의 지정석으로 자리에는 단골 표시가 붙어 있었다고 한다. 인근의 고급 요정 「후게쓰로」의 이름을 따서 단골손님들이 「제2의 후게쓰」라고 부른다.

FILE

창업	다이쇼 12(1923)년
지역	시즈오카현 시즈오카시
창업 시 형태	이자카야
구조	목조 단층집
점주	다카노 신(4대째)

안쪽 다다미방은 단골손님들이 「내 집」으로 삼는다

안쪽의 다다미방은 겹겹이 쌓인 방석을 들고 원하는 곳에 자리를 잡는다. 이제 우리 집이다.

마루로 올라서는 곳에 쓰루시비나를 매달아 놓았다.

도코노마에는 언제나 성대하게 피어있는 야생화가 있다. 오른쪽 큰 간판에 쓴 「대중 주점」은 심기일전을 선언하고 있고, 가장자리에는 벌집이 걸려 있다.

오랜 세월 정중하게 다뤄온 귀중한 도구들

오래된 이름이 들어간 도쿠리는 귀중품이 되었다.

사용 중인 제품입니다.

일 합 병과 비교해 보면 알 수 있는 특대 병따개

펍을 본뜬 기린맥주 그림에는 「메이지 36년」이라고 적혀 있다.

DATA 다카노	시즈오카현 시즈오카시 아오이쿠 곤야마치 5-4 / 054-251-0131 / 16:30~23:00, 일, 공휴일 휴무

동일본 편 후기

이자카야 가이드 『오타 가즈히코의 이자카야 맛·술 유람』(신초샤)은 4년에 한 번씩 개정을 거듭하여 2016년 제4판 〈결정판〉부터 「명주」, 「명요리」, 「명가」에 더해 「일본 이자카야 유산」 마크가 추가되어 15곳이 선정되었다.

선정 이유는 서문에서 언급한 바와 같지만, 이후 여러 가지 요인으로 인해 폐업이 우려되어 기록의 필요성을 느꼈다. 기획에 공감하는 최고의 편집 스태프를 섭외해 직접 발로 뛰며 조사를 시작했다.

모두 익숙한 가게들이라 술잔을 들고 주인에게 들은 이야기를 틈틈이 써왔지만 이번에는 그것들을 재확인하고 배경을 알아가며 막연하게 보았던 가게 내부와 건축물을 관찰하고 사진에 담았으며 가게의 오래된 자료도 보여 달라고 부탁했다. 영업 중에는 할 수 없는 작업에 모두 흔쾌히 협조해 주셨고, 가게의 역사를 소중히 여기는 마음이 넘쳐났다.

마침 내가 친하게 지냈던 많은 점주들이 은퇴하고 가족들에게 대를 이어 가게를 물려준 시기였다. 인터뷰를 마치고 늘 그렇듯 술 한 잔을 기울이며 이 가게의 가장 큰 특징이 무엇일까를 정리하다가 본문 첫 구절을 떠올렸다.

취재를 마치고 편집 작업에 들어가면서 일본의 이자카야를 조망하는 것의 의미를 깨달았다. 가령 책 82쪽에 실린 각 가게의 포렴을 한꺼번에 늘어놓은 장면은, 그 장관에 눈을 떼지 못할 정도였다.

동일본의 오래된 이자카야의 특징은 풍설에 견딜 수 있는 건물, 한 번 들어온 손님이 오랜 시간 머물 수 있는 아늑함, 지역 특산물을 사용한 소박한 안주 등을 꼽을 수 있겠다.

이후 서일본 편을 다룰 예정이다. 그곳은 어떻게 되어 있을까?

2022년 7월 오타 가즈히코

역자 후기

이자카야 유산을 번역하는 동안 그림 없는 요리책을 읽고 있었다. 그 책은 상상력을 필요로 하는 책이었는데 한번도 먹어 보지 못한 캄보디아, 자메이카, 레바논, 페루의 음식들을 소개할 때마다 군침이 돌고는 했다.

에드워드 리의 음식 여행을 따라가는 동안 나의 이자카야 유산 번역도 상당히 많은 진전이 있었다. 정확히 말하면 애정을 갖게 되었다고 할까. 그것도 동일본 편 마지막 챕터에 가서야 끓어오르는 애정을 감출 수가 없었다. 이자카야의 메뉴판을 옮기는데 단순한 메뉴가 아니라 책을 들고 찾아가서 카운터에 앉아 메뉴 하나 하나를 시켜 음미하는 마음으로 번역에 임하게 된 것이다.

예를 들면 「하스 후라이」를 써놓고 괄호 안에 연근 튀김이라고 설명을 하는 동안 나는 구글에서 하스 후라이를 이미지로 검색해서 눈으로 먹어본다. 군침이 돈다. 레시피를 찾아 만들어 볼 마음이 자연스럽게 든다. 네기마라고 쓰고 아, 「네기마」가 그 「네기마」구나 야키토리 가게에서 닭고기와 파를 꼬치에 구워 낸 것을 먹었던 기억을 되살린다. 파 껍질이 타면서 안에는 단물이 가득 고였기에 닭꼬치와 함께 먹으면 아주 잘 어울리는 맛이다.

이자카야 유산을 번역하는 동안 내 부엌에서도 최고의 식재료가 준비되었다. 주먹만 한 양파와 최고로 싱싱한 버섯과 너무나 하얘서 창백해 보이기까지 한 마늘과 터질 듯이 부풀어 오른 보라색 가지와 부엌이 온통 주황빛으로 물들 것 같은 당근이 갈색 도마 위에서 가지런히 주인의 손을 기다렸다.

나는 번역을 하다 지치면 후추와 소금, 달걀, 쪽파, 부추와 함께 서너 가지 요리를 만들어 만찬을 즐겼다. 한손에는 젓가락을 또 한손에는 이자카야 유산을 들고서, 방금 끓인 수프와 볶음 요리와 가지 구이 등으로 입주변을 묻히면서 음식 여행을 떠나는 것이다. 그러다가 마음이 내키면 책에 실린 전화번호로 국제전화도 건다. 저쪽에서 목소리가 들려온다.

"모시모시. 도쿠샤쿠데스."

가게 이름을 확인하는 것이 목적이었다.

"도쿠사쿠데스까, 도쿠샤쿠데스까?"

"도쿠샤쿠데스."

목소리 너머 손님들의 대화하는 소리가 들린다.

나도 언젠가는 그곳에 가서 어린 닭을 구운 신코야키를 앞에 두고 혼술을 마셔야겠다.

여러 분들도 책을 손에 들고 이자카야를 찾아가 "아지후라이(전갱이 튀김) 구다사이." 하고 주문하는 모습을 사진 찍어 SNS에 올리면 저자인 오타 가즈히코 선생님이 댓글을 달지도 모르겠다.

또한 100년 된 이자카야에서 전설적인 상징물을 찾아내는 것은 덤일 것이다. 사진 속에 있던 도쿠리에 담긴 술을 맛보면서 가게 안을 둘러보면 숨은그림찾기처럼 낡은 물건들이 이야기를 걸어 올 것이다. 그때가 가장 술맛이 맛있어 질 것이다.

2025년 7월 이은주

日本居酒屋遺産 — 東日本編
일본 이자카야 유산 — 동일본편

2025년 12월 25일 초판 1쇄 발행

저자
오타 가즈히코 (글, 일러스트)

옮긴이
이은주

기획·크리에이티브 디렉션·편집
하야사키 가나(Mo-Green Co., Ltd)

사진
오비 준스케(P.8 - P.209)
후지타 가즈히로(P.210 - P.223)

편집
아사미 에이지(TWO VIRGINS)
스도 료, 기무라 케이, 구와모토 군페이,
와타라이 다이(Mo-Green Co., Ltd)

원서 디자인
아이자와 사야카,
마츠모토 나츠메(Mo-Green Co., Ltd)

한국어판 조판
유민기(2mm)

한국어판 제작
박재현

인쇄소
(주)상지사 P&B

발행인
박태희

발행처
안목
출판등록 2006년 6월26일
제381-2006-000041호

전화: (051)949-3253
팩스: (070)7614-2579
이메일 : anmocin@gmail.com
https://www.anmoc.com

ISBN 978-89-980433-8-4 04910
ISBN 978-89-980433-7-7 04910 (전2권)

책에 인쇄 불량이나 페이지 누락이 있을 경우
교환해 드립니다.

정가는 책 커버에 표시되어 있습니다.